LES GRANDS **PEINTRES**

LES GRANDS **PEINTRES**

Idée et conception de l'œuvre : Editorial Sol 90, S.L.
Coordination : Joan Ricart
Recherche et textes : Antonio González Prieto, Antonio Tello
Conception : Sergio Juan
Mise en page : Susanna Ribot, Clara Miralles, Silvana Catazine, Francesc Pallarés
Rédaction : Joan Soriano, Carme del Vado
Base de textes : Ediciones Colonial, S.L.
Édition graphique : Alberto Hernández
Conseil : Teresa Camps
Correction : Vicente Villacampa
Production éditoriale : Montse Martínez, Anna Cedenilla
Photographies : AFP/Contacto, Aisa-Archivo Iconográfico, Akg-Images/Album, Corbis/Cover, Erich Lessing/Album, Gamma/Contacto, Hachette/Contacto, Magnum/Contacto, Oronoz/Cover, Photos12/Contacto

Pour la version française
Coordination : Rosa Salvia
Traduction : Tradym
Lecture - Correction : Laetitia Belasco

ISBN : 978-84-9820-571-8
Dépôt légal : B-11.404/2007
Achevé d'imprimer à Barcelone

Monet

Sommaire

La vitalité de Monet

Intrépide, audacieux, passionné, travailleur infatigable, bon vivant, ami de ses amis, rassembleur de talents... Claude Monet fut tout cela et bien plus encore. Ses quatre-vingt six ans d'existence, il les vécut intensément à tel point qu'il semble avoir eu plusieurs vies en une seule. Il connut les soucis financiers comme beaucoup de jeunes peintres de son époque, mais également l'aisance que lui procura sa consécration en tant qu'artiste, ainsi que les plus hautes distinctions civiques de son pays. Il connut le dédain et l'incompréhension au début de sa carrière, mais également la reconnaissance maximale de son vivant. Il subit la terrible perte de sa première femme et modèle, mère de ses deux fils, mais unit ensuite son destin à une autre femme. Il en tomba profondément amoureux et les six enfants de cette dernière vinrent agrandir la famille. Ensemble, ils formèrent une famille à la fois singulière et particulièrement unie.

Passionné de peinture mais également d'horticulture vers la fin de sa vie, il put réaliser un rêve : le jardin de Giverny. Il prit plaisir à l'imaginer, à le concevoir et bien sûr à l'immortaliser à travers sa peinture. Le Havre, Paris, Argenteuil, Vétheuil et, évidemment, Giverny sont les paysages au sein desquels se déroulèrent sa vie et son œuvre, car il est impossible de comprendre l'une sans l'autre. Chaque changement de domicile était motivé par la recherche d'un nouveau thème pictural. De même, chaque voyage entraînait de nouveaux tableaux, de nouvelles expériences, de nouveaux amis et de nouvelles connaissances picturales. Les lettres qu'il envoyait à sa seconde épouse au cours de ses expéditions artistiques illustrent son dévouement et sa volonté d'accéder à de nouvelles connaissances et d'accumuler de nouvelles expériences : « J'utilise désormais des couleurs italiennes que j'ai fait venir de Turin. À part cela, je me retrouve sans toiles, sans chaussures, sans chaussettes et même sans vêtements [...] Je suis fatigué, parfois très fatigué de ce travail, de cette lutte continue ; me reposer à votre côté sera une consolation ».

De Monet, nous pouvons affirmer qu'il est le peintre de la lumière, de l'eau, mais surtout de l'« instant ». « Je travaille beaucoup pour obtenir ce que je recherche : l'instantanéité », avoue le peintre dans une lettre adressée à son marchand le plus fidèle, Durand-Ruel. Grâce à cette volonté de refléter la fugacité du moment (volonté d'ailleurs partagée par certains de ses contemporains), il rassemble autour de lui les membres du mouvement impressionniste dont le nom provient de l'un de ses tableaux : *Impression, soleil levant*. Renoir, un ami d'enfance, reconnut que « sans lui, aucun d'entre nous n'aurait rien fait ».

Monet est sans doute l'un des peintres ayant le plus contribué à libérer la peinture du carcan de l'École des Beaux Arts. Outre l'incompréhension qu'il subit à ses débuts en empruntant un chemin qui rompait avec les goûts de l'époque, il fut également accusé, plus tard dans sa carrière, de peindre uniquement pour plaire au public. Quelles que furent les accusations proférées, il ne renonça jamais à sa vision de la peinture : « Mon seul but est de vous offrir des choses dont je suis pleinement satisfait [...] », assure-t-il à Durand-Ruel.

Le peintre et son époque

1870 Monet épouse Camille. Lors de la guerre franco-prussienne, la famille se réfugie alors à Londres.

1840-1858

Le Havre
Né à Paris, il passe toutefois son enfance au Havre. Il y excelle alors comme caricaturiste. Dans le milieu artistique de la ville, il fait la connaissance de Boudin, un paysagiste qui deviendra son premier mentor.

1841-1843 L'utilisation de la peinture à l'huile en tubes d'étain se popularise. Elle permet de révolutionner les techniques picturales et favorise ainsi les paysagistes qui travaillent en plein air.

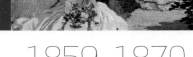

1859-1870

Paris
Monet souhaite faire carrière en tant qu'acteur, il part alors vivre à Paris. À l'académie Suisse, il se retrouve avec les peintres qui feront partie du mouvement impressionniste. Il connaît ses premiers succès en tant que peintre dans les Salons de 1865 et 1866.

1871-1878

Argenteuil
Installé à Argenteuil, il rassemble les impressionnistes qui réalisent leur première exposition en 1874. Camille Doncieux accouche de leur premier fils. Il fait la connaissance d'Alice Hoschedé.

1874 Inauguration de l'Opéra Garnier, l'un des édifices les plus remarquables du Plan Haussmann, qui modernise Paris et met fin au tracé médiéval.

1879-1880

Vethéuil
Son second fils naît et peu de temps après son épouse décède. Monet vit avec ses deux fils, Alice Hoschedé et les six enfants de cette dernière. Sa situation économique est, comme toujours, précaire. Il travaille malgré tout avec passion et les critiques commencent à le reconnaître comme le représentant le plus remarquable du mouvement impressionniste.

1882 Le médecin allemand Robert Koch découvre le bacille de la tuberculose. L'année suivante, il découvrira le bacille du choléra.

1881-1882

Poissy
Le peintre n'est pas autant inspiré par cette ville que par ses précédentes résidences. Il réalise de nombreuses expéditions artistiques de manière à immortaliser les paysages de Dieppe, Varengeville, Pourville et les célèbres falaises de l'île de Saint-Martin qui s'ajoutent à ses tableaux d'Étretat.

1883-1891

Giverny
À Giverny, il établira son foyer de manière définitive et laissera alors libre cours à ses deux passions : la peinture et l'horticulture. Sa reconnaissance artistique s'ajoute à sa prospérité économique.

1885 Lors de la Conférence de Berlin, les puissances européennes se répartissent le continent africain.

1888 Monet refuse la Croix de la Légion d'Honneur, l'une des plus hautes distinctions de la République.

1892 L'année précédente, Ernest Hoschedé meurt. Monet et Alice peuvent alors régulariser leur situation le 16 juillet.

1892-1898

Rouen
Les années 90 marquent le début d'une nouvelle étape dans sa peinture. Ils réalisent des séries dont l'une des plus connues est la série dédiée à la cathédrale de Rouen. Grâce à cette série, Monet est consacré peintre aux yeux des nouvelles générations.

1899-1926

Jardin d'Eau
Au cours de ses dernières années, il travaille avec acharnement sur la série des *Nymphéas*, série qu'il lèguera à l'état français en 1922 sur requête de Clemenceau.

1902 Georges Méliès inaugure son œuvre maîtresse *Voyage dans la lune*, qui représente une révolution cinématographique.

1914-1918 L'assassinat de l'archiduc François-Ferdinand à Sarajevo déclenche la Première Guerre Mondiale.

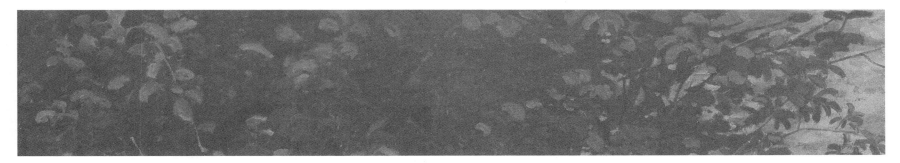

Biographie

Renoir. 75.

Le peintre de la lumière

« Hélas, [...] plus je vais, plus j'ai de mal à rendre ce que je sens ; et je me dis que celui qui dit avoir terminé une toile est un terrible orgueilleux. Finir voulant dire complet, parfait ».

Claude Monet

Claude-Oscar Monet naît à Paris en 1840 et grandit au Havre où ses parents, Adolphe et Louise-Justine Monet, s'installent en 1845 avec son frère aîné, Léon. Son père décide de partir pour cette ville portuaire alors en pleine transformation industrielle, à la demande de sa demi-sœur, Marie-Jeanne Lecadre, et travaille dans l'épicerie tenue par son beau-frère. Des bateaux amarrent, des voiles s'éloignent... La mer s'inscrit déjà dans les premières « impressions » de l'enfance du peintre.

Au Havre, Monet rencontre le peintre Eugène Boudin, qui devient son protecteur et l'emmène peindre en plein air, technique nouvelle à l'époque. Cette rencontre est décisive : « Je dois à Boudin d'être devenu peintre », dira-t-il plus tard. Lorsque sa mère décède en 1857, sa tante Marie-Jeanne, artiste peintre amatrice de talent qui fréquente le milieu artistique, veille à son éducation. L'exposition du Havre de 1858 accueille la première œuvre de Monet, *Vue de Rouelles*, qui dénote l'influence de l'école de 1830 (Dupré, Chintreuil, Daubigny), tandis que ses croquis alternent paysages et caricatures.

Grâce à son succès de caricaturiste, à ses relations avec sa tante et à sa volonté tenace, son père l'autorise à entamer une carrière artistique, à une condition toutefois : qu'il s'inscrive à l'École des Beaux-Arts de Paris. Sa première demande de bourse est refusée mais Monet n'attend pas la réponse. Il se trouve déjà à Paris où il découvre, à 18 ans, le charme et les vicissitudes de la vie d'apprenti peintre. Il s'inscrit à l'académie Suisse où il fait la connaissance de Pissarro. Dans le Quartier Latin, il rencontre Clemenceau, qui deviendra des années plus tard un ami fidèle.

Lors du Salon de 1859, Monet s'émerveille devant les œuvres de Daubigny et des orientalistes, une admiration qui l'incitera peut-être à accomplir son service militaire dans le premier régiment de chasseurs d'Afrique. Ainsi, en juin 1861, il part en Algérie en quête de l'Orient des peintres. Après une année, la fièvre typhoïde l'oblige à interrompre son service. « Les impressions de lumière et de couleur que je reçus là-bas ne devaient se classer que plus tard, mais le germe de mes recherches futures y étaient », déclarait-il lors d'un entretien.

Rencontres déterminantes

De retour au Havre, Monet fait une nouvelle rencontre capitale, celle du peintre paysagiste hollandais Jongkind, dont il dira : « Il devint à ce moment mon maître et c'est à lui que je dois l'éducation définitive de mon œil ». Monet s'en retourne à Paris sous la protection de son cousin par alliance, le peintre Auguste Toulmouche. Sur sa recommandation, il intègre l'atelier Gleyre à l'automne 1862. Là-bas, il fréquente les futurs chefs de file de l'impressionnisme : Renoir, Bazille et Sisley.

Il arrive au petit groupe de s'échapper de Paris pour peindre des scènes réelles à Chailly-en-Bierre, que Monet découvre avec Bazille en 1863, au Havre et à Honfleur. Une série d'études, plus libres et plus assurées à la fois, datent de 1864 :

◄
Pierre-Auguste Renoir
Portrait de Claude Monet (1875)
Huile sur toile
85,6 x 60,6 cm
Musée d'Orsay, Paris

Monet, caricaturiste

François Ochard, son professeur de dessin à l'École Supérieure du Havre et ancien élève de David, remarque les dons du jeune Monet, qui se distingue avec des caricatures de notables de la ville vendues un louis chacune et qu'il expose grâce au vendeur de journaux Gravier. Grâce à lui, Monet rencontre le peintre paysagiste Eugène Boudin.

Bazille, ami et soutien
Monet connaît des difficultés financières durant une grande partie de sa vie. Les premières années, Bazille, fils d'une riche famille de Montpellier, l'aide économiquement et partage avec lui son atelier. Bazille décède pendant la guerre franco-prussienne.

▼
L'atelier de Bazille, rue de la Condamine (détail), de Frédéric Bazille (1841-1870).

La Jetée de Honfleur, Le Phare de l'hospice, La Pointe de la Hève... C'est une époque de doutes et de demandes répétées d'argent.

Premier Salon et premier succès en 1865 avec *L'Embouchure de la Seine à Honfleur*. Fort de cette première reconnaissance, Monet entame à Chailly une grande composition à la modernité remarquable : *Le Déjeuner sur l'herbe*. Il ne parvient toutefois pas à le terminer à temps pour le Salon de 1866, où il triomphe avec *Camille ou la Femme à la robe verte*. Le modèle du tableau, Camille, entre dans sa vie. Désormais, Monet existe et les critiques ne peuvent plus l'ignorer.

Il passe l'été près de Ville-d'Avray, où il réalise le splendide *Femmes au jardin* et où Courbet lui rend visite. Il retourne à Honfleur et durant l'hiver 1866-1867, il peint ses premiers paysages enneigés avec différentes versions de *La Route de la ferme Saint-Siméon*. L'arrivée du printemps est accompagnée d'une déception : le jury du Salon refuse ses œuvres en raison d'une technique jugée trop brutale. Monet se consacre alors, à l'instar de Renoir, à peindre des vues de Paris, thèmes qui devraient se vendre en cette année d'exposition universelle.

À cette époque, il voyage souvent entre la capitale, où Camille attend un enfant, et Sainte-Adresse, où sa famille, qui n'accepte pas cette relation, le soutient financièrement. « J'ai une vingtaine de toiles qui avancent à bon rythme, des marines impressionnantes, des figures, des jardins, enfin, de tout » confie-t-il à Bazille le 25 juillet 1867. Celui-ci devient le parrain de son premier fils, Jean, qui naît le 8 août ; la marraine est la compagne de Pissarro.

Le tableau *Bateaux de pêche partant du port du Havre* se fait remarquer lors du Salon de 1868 où il est admis grâce à l'appui de Daubigny. Zola souligne la modernité et l'originalité du peintre dans un article prémonitoire : « Je ne suis pas en peine de lui. Il domptera la foule quand il le voudra ». Peu après, Monet passe quelque temps dans un hameau sur les rives de la Seine, Gloton. Là, il peint l'un des tableaux qui préfigurent mieux l'imminente évolution de son style : *Bennecourt*, nom de la bourgade visible sur la rive opposée du fleuve, à laquelle Daubigny amarre souvent sa barcasse atelier, accompagné de Corot et de Guillemet.

Premier mécène

Monet quitte un temps Gloton pour le Havre, où a lieu l'Exposition Maritime Internationale à laquelle il a fait parvenir cinq toiles. Courbet, de passage dans la ville pour la même raison, l'emmène déjeuner avec Alexandre Dumas à Étretat, où il retournera plus tard travailler. *Bateaux de pêche partant du port du Havre* est acquise à l'occasion de cette exposition par une relation de Saint-Siméon, Louis-Joachim Gaudibert, gendre d'un riche notaire du Havre. Ce premier mécène lui commande quelques portraits, et Monet en réalise un magistral de sa femme : *Madame Gaudibert*. En outre, il lui verse une pension qui lui permet de s'installer avec Camille et Jean à Étretat. Les réunions au café Guerbois, lieu de discussions des avant-gardistes, dont Manet, Degas et Pissarro font

partie, ne lui manquent guère : « On est trop préoccupé de ce que l'on voit et de ce que l'on entend à Paris, si fort que l'on soit, et ce que je ferai ici aura au moins le mérite de ne ressembler à personne, du moins je crois ».

Cette différence lui vaut un nouvel échec au Salon de 1869. Monet se console en exposant divers tableaux dans la galerie du marchand Latouche, où le magnifique *Terrasse à Sainte-Adresse* « suscite le fanatisme chez la jeunesse », selon Boudin. Peu après, il quitte Paris pour Saint-Michel, dans les environs duquel se trouve le groupe des Batignolles : Sisley, Pissarro et Renoir. Ce dernier et Monet se rencontrent souvent et tous deux mènent une vie frugale : « Depuis huit jours, nous n'avons plus de vin, il n'y a plus de feu dans la cuisine, nous n'avons pas de lumière ».

Cela ne les empêche pas de partir pour l'île de Croissy afin de travailler et d'inventer une esthétique qui supposera une rupture totale avec l'art caractéristique de ses toiles de *La Grenouillère*. De fait, Monet est à nouveau rejeté du Salon de 1870 lorsqu'il présente une vue de cette guinguette à la mode. Pour exprimer son indignation, Daubigny, qui le soutient depuis des années, se retire du jury et convainc Corot de faire de même.

À l'issue des premiers désastres de la guerre franco-prussienne, la République, tant chérie par le groupe des Batignolles, est proclamée. Les combats continuent, mais Monet ne souffrira ni de l'atroce siège de Paris ni des drames de la Commune. Une fois marié à Camille, il s'installe à Londres où il retrouve Pissarro et Daubigny. Celui-ci lui présente Durand-Ruel. Cette rencontre est essentielle car dès lors, ce marchand français réputé exposera les œuvres de Monet dans sa galerie londonienne et l'invitera à participer à l'Exposition Internationale de Londres au printemps 1871. L'automne de cette même année, Monet retourne en France. À partir de ce moment, les étapes de sa carrière portent le nom des villes où

▲
Le portrait *Camille ou la Femme à la robe verte* fut, selon la légende, esquissé en huit jours. Le tout-puissant directeur de *L'Artiste*, Arsène Houssaye, en fit l'acquisition.

▲
Photographie ancienne d'Argenteuil, où Monet s'installe en 1871, dans une maison appartenant à des amis d'Édouard Manet, et où a vécu le philosophe Théodule Ribot.

il a vécu, toujours à proximité de l'eau, source d'inspiration de son œuvre.

En 1871, il s'installe à Argenteuil, à 11 km de Paris, où il vivra jusqu'en 1878. Il profite de toutes les occasions pour se réunir avec ses amis : Sisley, Manet, Renoir, à qui la chance commence à sourire... La belle Camille pose pour eux. En 1874, Manet peint *La famille Monet au jardin*, tandis que Renoir réalise une étude pour *Madame Monet et son fils*, deux ans après avoir exécuté le portrait de son hôte. Pendant cette période heureuse à Argenteuil, les œuvres se multiplient.

Au fond du jardin, la Seine, avec ses voiliers, ses canots et ses barcasses, offre une source d'inspiration intarissable. Aussi, Monet s'est fait construire un bateau atelier grâce auquel il obtient des vues insolites de l'un de ses thèmes favoris : les ponts ferroviaires. En 1873, avec Renoir, Pissarro, Degas et Sisley, il participe activement à la création d'une société collective qui rassemblera la nouvelle école. Lassé des préceptes du Salon, le groupe des Batignolles désire organiser sa propre manifestation artistique. Cet objectif est atteint en 1874 avec la constitution de la société coopérative anonyme des artistes peintres, sculpteurs et graveurs, qui compte trente membres. Le photographe Nadar, partisan du groupe, met à disposition ses locaux du boulevard des Capucines.

Le 15 avril, la première exposition est ouverte au public. Le catalogue présente

« Avec le temps, j'ai ouvert les yeux et c'est alors que j'ai vraiment compris la nature et appris à l'aimer ».

Claude Monet

des œuvres de Boudin, Bracquemond, Cézanne, Degas, Guillaumin, Lépine, Berthe Morisot, Pissarro, Renoir, Sisley... Parmi les tableaux de Monet figure une marine qui allait faire date dans l'histoire de la peinture : *Impression, soleil levant*, réalisée l'année précédente. L'auteur luimême explique l'origine du titre : « J'avais envoyé quelque chose fait au Havre, du soleil dans la buée et au premier plan quelques mâts de navires pointant... On me demande le titre pour le catalogue... Je répondis : "Mettez Impression" ». La nouvelle école s'est ainsi trouvée un nom. La deuxième exposition impressionniste a lieu en 1876, dans le local de Durand-Ruel. Albert Wolff, le redoutable critique du *Figaro*, s'acharne sur cette exposition « d'aliénés [...] atteints de la folie de l'ambition ».

Entre Camille et Alice

Comme à son habitude, Monet mène un train de vie dépassant ses moyens et, harcelé par les créanciers, il se montre souvent insistant auprès des marchands ou des amateurs d'art, ce qui irrite Pissarro. Néanmoins, son travail acharné et son talent lui valent de nouveaux acheteurs : Rouart, Chocquet, le peintre Caillebotte, l'éditeur Georges Charpentier, le docteur de Bellio et surtout, Ernest Hoschedé. Ce négociant en tissus, passionné de peinture et marié à la fille d'un fondeur belge fortuné, possède *Impression, soleil levant* depuis 1874.

En 1876, Hoschedé commande à Monet quatre panneaux décoratifs pour son château de Rottenbourg, à Montgeron. Installé dans cette propriété, Monet réalise également quelques portraits de la famille de ses hôtes et plusieurs paysages. L'un d'entre eux, *L'Étang à Montgeron*, préfigure les nymphéas. Camille restée à Argenteuil, une relation sentimentale naît entre le peintre et Alice, l'épouse d'Hoschedé.

Début 1877, Monet retourne à Paris, où il travaille de nouveaux thèmes urbains. Il réalise des vues intérieures et extérieures de la gare Saint-Lazare, symbole du Paris d'Haussmann. Il réinterprète alors la technique impressionniste et atteint son plus haut niveau. Dans certaines toiles telles que *Les Voies à la sortie de la gare Saint-Lazare*, on devine l'influence de Turner. Cette modernité enthousiasme Zola qui, dans *La Bête humaine*, élèvera la locomotive au rang de héros. Les paysages sont désormais inspirés par les espaces verts de la ville.

À l'occasion de la troisième exposition impressionniste, en 1877, Monet présente, en plus de huit versions de la gare Saint-Lazare, point de départ du système de séries qu'il affectionnait, des vues du parc Monceau, de l'île de la Grande-Jatte et des Tuileries. Durant cette exposition, le portrait de Camille au bouquet de violettes dénote une triste fatigue chez le modèle. Dans la maison d'Argenteuil, les dettes s'accumulent. Monet ne peut plus compter sur Hoschedé, au bord de la ruine. En janvier 1878, Monet doit solder ses dettes et payer les frais d'un nouveau déménagement. Contraint de laisser *Le Déjeuner sur l'herbe* en gage au propriétaire d'Argenteuil, le peintre retourne à Paris. Là-bas

Turner, une influence notable
Au cours de son séjour à Londres, les aquarelles de William Turner exercent une influence évidente sur la production ultérieure de Monet, qui intègre la liberté inventive du peintre anglais dans sa conception des paysages.

▼

La Baie d'Uri sur le lac de Lucerne, vue de Brunnen de William Turner (1841).

▲
Fantin-Latour peint *L'Atelier des Batignolles* en 1870. Ce quartier de Paris donne son nom à l'école picturale à laquelle appartient Monet. Face au chevalet, Manet, posant pour lui, Astruc et, autour de lui, Renoir, Monet, Bazille, Zola, Schölderer et Maître.

naît son second fils, Michel, et Edouard Manet doit une fois de plus le soutenir financièrement.

Le 30 juin 1878, année de l'Exposition Universelle, des festivités organisées en l'honneur de la République transforment Paris en une éblouissante palette de couleurs. Monet retranscrit ces réjouissances multicolores dans des toiles pré-expressionnistes : *La Rue Montorgueil* et *La Rue Saint-Denis*. Il s'agit là en partie de ses adieux aux thèmes urbains et à la capitale, dans laquelle il ne vivra plus jamais.

Monet s'installe à Vétheuil, l'un des plus beaux sites des rives de la Seine. L'emménagement a lieu au cours de l'été 1878, avec sa femme, ses deux fils, la famille Hoschedé totalement ruinée et leurs six enfants. La santé de Camille, qui ne s'est jamais remise de la naissance de son second fils, se détériore rapidement. Son décès le 5 septembre 1879, au terme de grandes souffrances, plonge le peintre dans une profonde dépression.

En avril, Monet n'assiste même pas à la quatrième exposition impressionniste, à laquelle, pressé par Caillebotte, il a envoyé vingt-neuf paysages, qui lui vaudront d'être proclamé par Burty : « artiste le plus remarquable de sa génération ». Alors qu'Hoschedé s'en retourne à Paris pour des affaires douteuses, Monet se retrouve seul, désemparé, avec Alice et les enfants, harcelé par les créanciers et travaille, comme toujours, avec un acharnement féroce. Le rude hiver de 1879-1880, avec sa terrible gelée et son extraordinaire dégel, lui inspire des peintures de neige, de givre et de glace dérivant sur l'eau.

Passionné de jardinage, Monet transforme l'escalier de sa maison, qui des-

« À ce point qu'un jour, me trouvant au chevet d'une morte qui m'avait été et qui m'était toujours très chère, je me surpris [...] dans l'acte de rechercher machinalement la succession, l'appropriation des dégradations de coloris que la mort venait d'imposer à l'immobile visage ».

Claude Monet

cend vers la Seine, en un massif de tournesols qui lui inspire l'un de ses meilleurs tableaux : *Les Marches à Vétheuil*, où la joie de vivre semble renaître. Sur la Seine, Monet dispose de deux embarcations grâce auxquelles il obtient les meilleurs panoramas pour reproduire Vétheuil ou Lavacourt, le village de la rive opposée. Le succès rencontré par Renoir lors du Salon de 1879 l'incite à suivre son exemple. Il est admis à celui de 1880 avec *Lavacourt*, un panorama classique qui lui vaudra d'être qualifié d'infidèle par Degas et Pissarro.

Sa première exposition individuelle a lieu à la galerie Charpentier. Dix-huit œuvres sont exposées : des vues de Vétheuil et *Les Glaçons*, dont l'audace avait épouvanté le jury du Salon. La préface du catalogue est de Duret qui, dans sa première *Histoire des peintres impressionnistes* de 1878, le place à la tête du mouvement. Monet obtient alors, à quarante ans, un certain succès auprès de la critique.

Les débuts de la consécration

Les jeunes le prennent en exemple. Signac lui écrit : « Je peins sans autre modèle que vos œuvres, en suivant le chemin que vous avez ouvert ». À cette époque, les acquisitions de Durand-Ruel se font régulières et de nouveaux acheteurs se présentent. Ses anciennes marines trouvent facilement acheteur, ce qui l'incite à séjourner de nouveau en Normandie, dans la villa de son frère Léon, et à Petites-Dalles, près de Fécamp.

Toutefois, la situation économique du peintre se dégrade toujours et les voisins considèrent avec méfiance la singulière famille Monet-Hoschedé. Il devient nécessaire de déménager à nouveau et de trouver un endroit où scolariser les enfants. En décembre 1881, Alice Hoschedé part avec Monet et les enfants pour Poissy, malgré

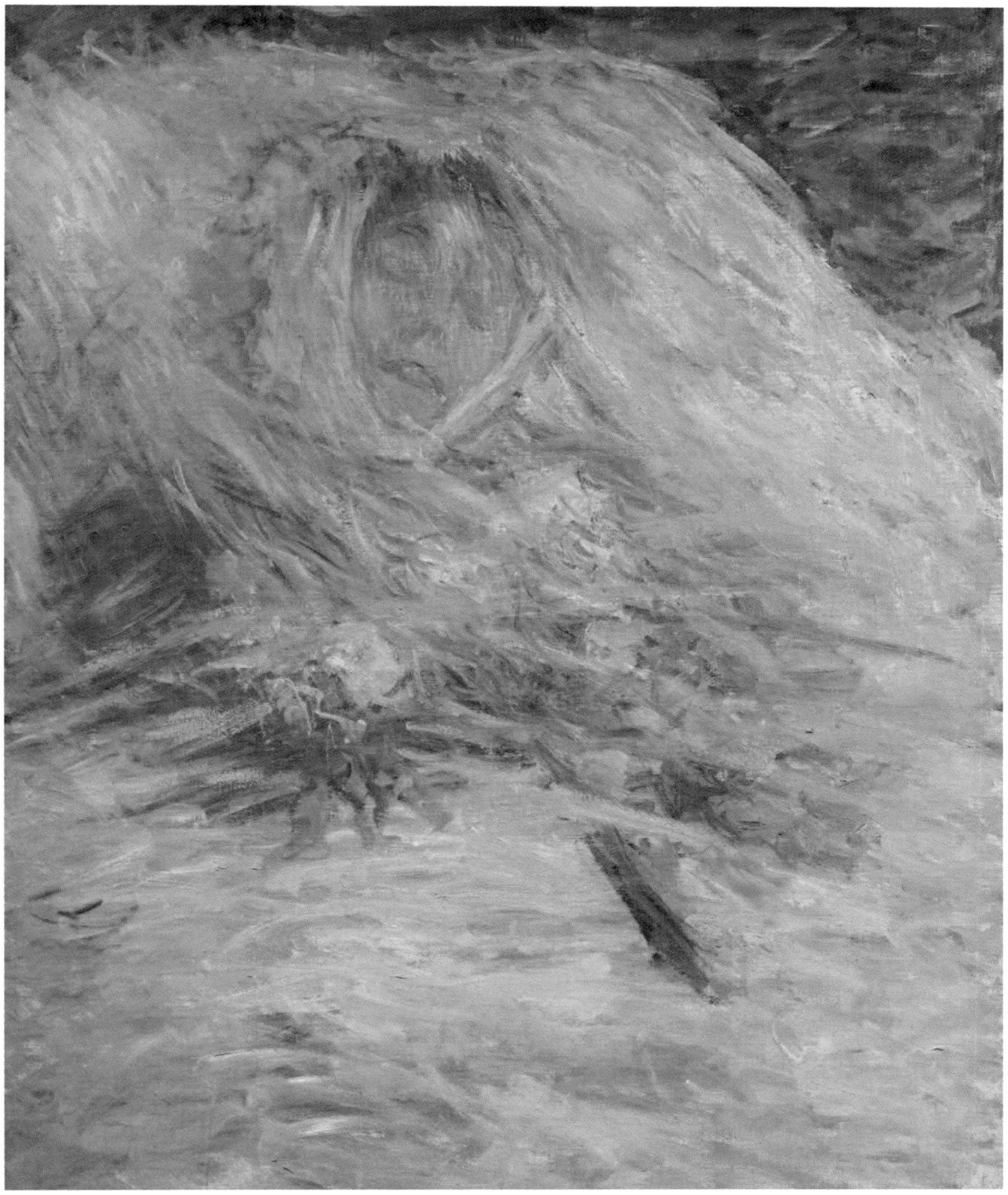

▲
Monet, dans un ultime hommage à sa compagne, immortalise les traits de sa première épouse dans *Camille sur son lit de mort* (1879).

Un amour solide mais difficile

Les relations entre Alice Hoschedé (représentée ici par Carolus Duran), habituée à une vie aisée, et Monet, sans cesse harcelé par les créanciers, ne sont pas exemptes de différends, comme en témoigne leur correspondance. Il s'agit toutefois d'incidents sans grande importance, dûs aux longues absences du peintre, durant lesquelles il part à la recherche de thèmes picturaux.

Gauguin divise les impressionnistes
« La petite église est devenue aujourd'hui une école banale qui ouvre ses portes au premier barbouilleur venu » déclare Monet en référence à Gauguin. Renoir et Degas se refusent à exposer avec lui lors de la septième exposition impressionniste et Monet les imite pour la huitième, par méfiance pour les nouvelles tendances développées par Signac et Seurat.

▼
Les Alyscamps de Paul Gauguin (1888).

les protestations de son mari. Il ne s'agira que d'un intermède. Le peintre n'y retrouve pas le charme d'Argenteuil ou de Vétheuil et sa production s'en ressent. Il profite de chaque occasion pour s'échapper de « cet horrible et disgracieux Poissy », où la maison, en bord de Seine, s'inonde dès que les eaux du fleuve se mettent à monter. Il trouve refuge sur la côte normande, où il réalise, en février et mars 1882, une série de paysages à Dieppe, Varangéville et surtout, à Pourville.

La faillite de la Banque Générale, qui soutenait Durand-Ruel, pose à celui-ci de grandes difficultés pour organiser, en mars 1882, la septième exposition impressionniste. Monet y exposera trente tableaux, de Vétheuil ou de Fécamp, de paysages d'hiver, de vues du haut des falaises et de sentiers en été de l'île de Saint-Martin. La critique se montre condescendante et les acheteurs, encourageants.

Après Argenteuil, Vétheuil et Poissy, Monet choisit Giverny. À 42 ans, il a trouvé le port d'attache où revenir, avec joie, une fois ses expéditions artistiques terminées. En avril 1883, les familles Hoschedé et Monet s'installent dans une maison avec un grand jardin, au confluent de l'Epte et de la Seine. L'enthousiasme des premiers jours se voit toutefois atteint par la nouvelle du décès d'Edouard Manet, soutien généreux durant sa jeunesse.

En décembre, alors qu'il ressent le besoin de renouveler son inspiration, Monet part en compagnie de Renoir pour le Midi. Ce périple les conduit de Marseille à Gênes, en passant par L'Estaque, chez Cézanne. De retour à Paris pour la rétrospective de Manet, il n'a qu'une idée en tête : retourner sur la Côte d'azur, mais cette fois, seul : « Je lui demande de ne parler de ce voyage à personne... De la même manière que cela m'a été agréable de voyager en touriste avec Renoir, il me semblerait ennuyeux de le faire accompagné pour peindre » confie-t-il à Durand-Ruel.

À Bordighera, puis à Menton, Monet travaille comme un forçat et réalise une cinquantaine de toiles où se mêlent les palmiers, les orangers, les citronniers et les oliviers du jardin d'un certain Monsieur Moreno, « véritable paradis terrestre ». Il écrit à Alice que son travail est « un travail de chien, passant d'une étude à une autre, mais le soir, je pense béatement à Giverny. Ces palmiers me condamneront ». Il répartira les œuvres réalisées dans le Midi entre les marchands Portier, Petit et Durand-Ruel, ce que ce dernier assimilera à une trahison. Sa situation financière s'améliore au fur et à mesure que sa réputation grandit. Dans une lettre à sa femme, Gauguin souligne que « Monet gagne maintenant cinq mille francs par an », une somme considérable à l'époque.

À la fin de l'été 1885, Monet se trouve à Étretat, l'un de ses lieux d'inspiration privilégiés. Faure a mis sa maison à sa disposition et, lorsqu'Alice et les enfants s'en vont, le peintre séjourne à l'hôtel Blanquet. Il dîne parfois chez Maupassant, originaire de la région de Caux, dans sa propriété de « La Guillette ». Les descriptions de l'écrivain et les tableaux du peintre évoquent les mêmes images : la Porte d'Amont, la Porte d'Aval avec son aiguille et les flottilles de voiliers partant en mer.

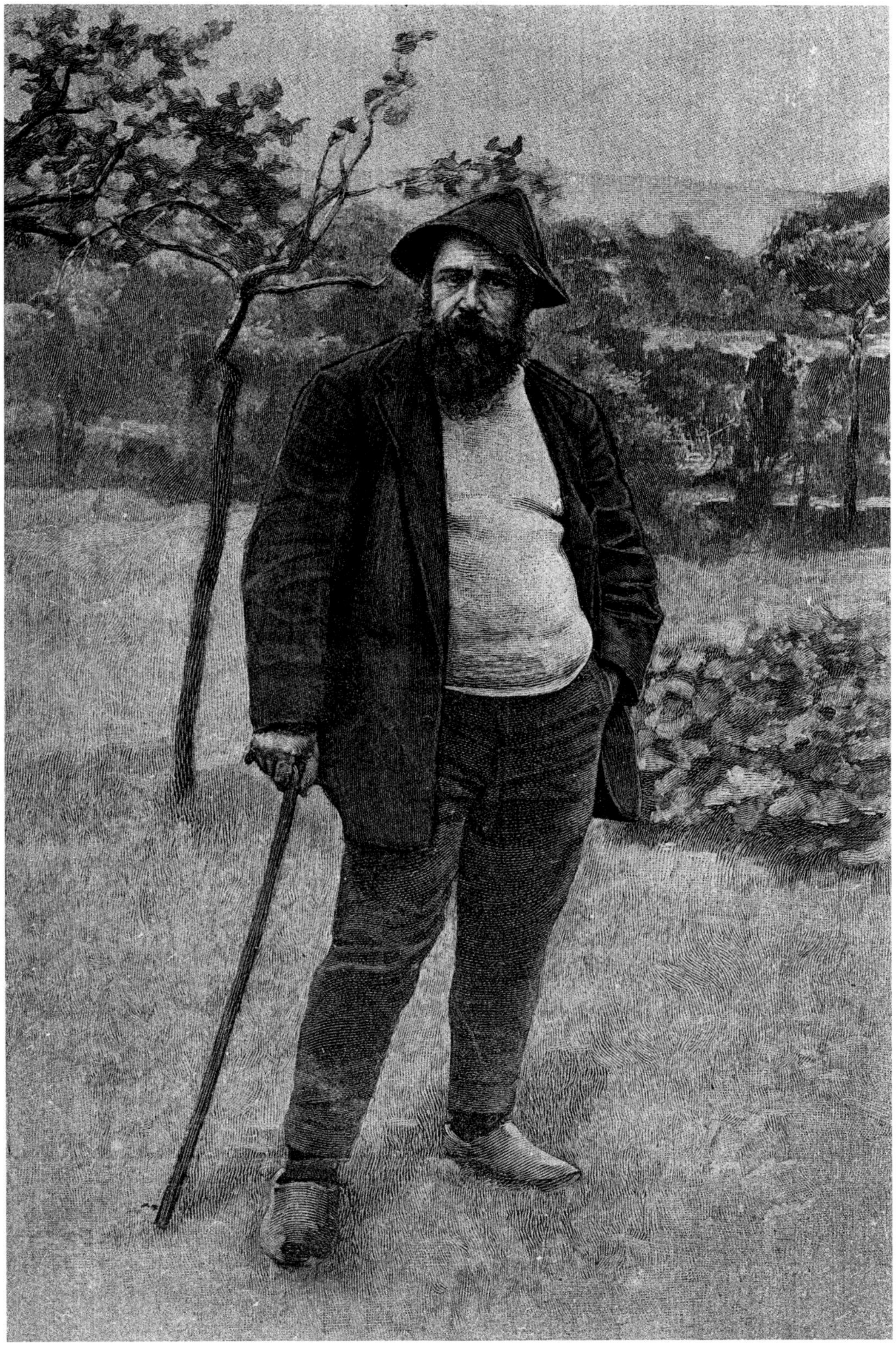

À Giverny, Monet ne délaisse pas les réunions avec ses amis ou les salons artistico-littéraires de Paris. Berthe Morisot et son mari, Eugène Manet, l'invite avec Renoir, Mallarmé et Degas à ses dîners du jeudi ; Mirbeau et Caillebotte l'accompagnent aux « dîners de la Banlieue », organisés par Edmond de Goncourt. Il se rend également aux dîners « les Bons Cosaques », où les peintres Helleu, Renoir et Cazin rencontrent les écrivains Mallarmé et Bergerat, également directeur de *La vie moderne*, ainsi qu'aux dîners des impressionnistes au café Riche. On y parle peinture, bien évidemment, mais également jardinage. Caillebotte et Mirbeau sont aussi passionnés d'horticulture que lui. Néanmoins, Monet n'est pas bavard et ne livre ses opinions artistiques qu'à son entourage : « Le motif est pour moi chose secondaire, ce que je veux reproduire, c'est ce qu'il y a entre le motif et moi ».

À l'assaut du marché américain

Monet ne participe pas à la huitième exposition impressionniste de 1886. Il préfère se rendre en Hollande. La visite des champs de tulipes en fleur est à la mode, mais il s'agit d'« un thème qui rend un pauvre peintre fou » dira-t-il, enthousiasmé par les « mares de couleurs des taches jaunes qui surgissent dans le reflet bleu du ciel ». Durant l'Exposition Internationale de cette même année, la galerie de Georges Petit expose ses tableaux hollandais ainsi que diverses toiles de Menton et d'Étretat. En 1886 également, Durand-Ruel se lance sur le marché américain avec une exposition intitulée « Huiles et pastels des impressionnistes de Paris ». Au total sont présentées trois cents toiles, dont quarante-huit sont de Monet qui, réticent, craint l'échec. Cependant, la critique américaine réagit très positivement et l'initiative de son marchand marque le début

▲
Gravure d'une photographie de Monet prise par Florian. Le peintre écrivit à Geffroy : « Je ne suis pas un grand peintre, grand poète. [...] je fais ce que je peux pour exprimer ce que j'éprouve devant la nature ».

▲
Champs de tulipes en Hollande (1886) est l'une des toiles peintes au cours de son voyage en Hollande, où il fut invité par le baron d'Estournelles de Constant, un ami de Deudon, l'un des collectionneurs de son œuvre.

d'une passion durable pour son œuvre de l'autre côté de l'Atlantique.

Dans une lettre à Eugène Boudin, en 1889, à l'occasion du décès de l'épouse de son ami, Monet décrira ainsi sa vie quotidienne : « Je suis toujours à la campagne, souvent en voyage et toujours de passage à Paris ». Cette passion pour la campagne l'a décidé à acquérir un terrain situé à l'embouchure de l'Epte. Là, il fait poser sa belle-fille Suzanne Hoschedé pour deux versions de *Femme à l'ombrelle* (1886), dans lesquelles il utilise la mise en scène de *Madame Monet et son fils*.

La recherche de nouveaux thèmes implique souvent des déplacements. En septembre 1886, il découvre Belle-Île. Accoutumé pourtant aux tempêtes du canal de la Manche, qui un jour faillirent l'emporter alors qu'il peignait à Étretat, Monet est à la fois déconcerté et enthousiasmé par la puissance des eaux de l'océan. « Les rafales lui enlèvent parfois la palette et les pinceaux des mains. Son chevalet est fixé à l'aide de cordes et de pierres » raconte son biographe Gustave Geffroy. Ce collaborateur de *La Justice*, le journal de Clemenceau, contribuera à créer entre le peintre et le politicien des liens d'amitié qui dureront jusqu'à la mort.

Les toiles de Belle-Île, exposées en 1887 lors de l'Exposition Internationale, où Renoir, Morisot et Sisley sont également présents, témoignent d'une joie et d'une vitalité extraordinaires. En août de la même année, durant un court séjour à

« Je souffre bêtement d'une crise de rhumatisme [...]. Ce qui m'afflige, c'est de penser qu'il faille renoncer à braver tous les temps et à ne pas travailler dehors, sauf par beau temps. Que la vie est stupide ! ».

Claude Monet

Londres, il expose à la Royal Society of British Artists sur recommandation de Whistler, son président. À la brutalité sauvage de l'Atlantique s'oppose la douce Méditerranée que Monet retrouve, en 1888, au château de la Pinède d'Antibes.

Les dix toiles d'Antibes ne sont pas exposées par Durand-Ruel, dont la relation avec Monet s'est refroidie, mais par Théo Van Gogh, frère de Vincent et directeur de la succursale de Boussod-Valadon, située avenue Montmartre, et sont acquises par des américains, au grand désespoir de Mirbeau. Quant à Félix Fénéon, critique féroce des néo-impressionnistes, il observe avec scepticisme le succès grandissant de Monet. « Grâce à une excessive vivacité de trait, une improvisation féconde et une vulgarité brillante, sa renommée ne cesse de croître ».

Il récupère d'anciens thèmes

Le peintre est conscient d'avoir acquis une inclinaison pour la facilité et, en 1887, il entend y mettre fin en réalisant des figures en plein air des jeunes Hoschedé et en réutilisant d'anciens thèmes de son étape à Argenteuil. « Cela m'absorbe à m'en rendre presque malade » confie-t-il à Duret. En effet, les périodes de travail intensif sont suivies de périodes d'abattement. Cela se produit à nouveau en 1889, au début de son séjour à Fresselines, dans la région de la Creuse, chez le poète Maurice Rollinat. « Je suis la nature sans pouvoir la saisir » dit-il alors. Cependant, le printemps revient vite et Monet ne peut plus perdre de temps : le coiffeur doit lui couper les cheveux alors qu'il continue de peindre au confluent d'eaux tumultueuses.

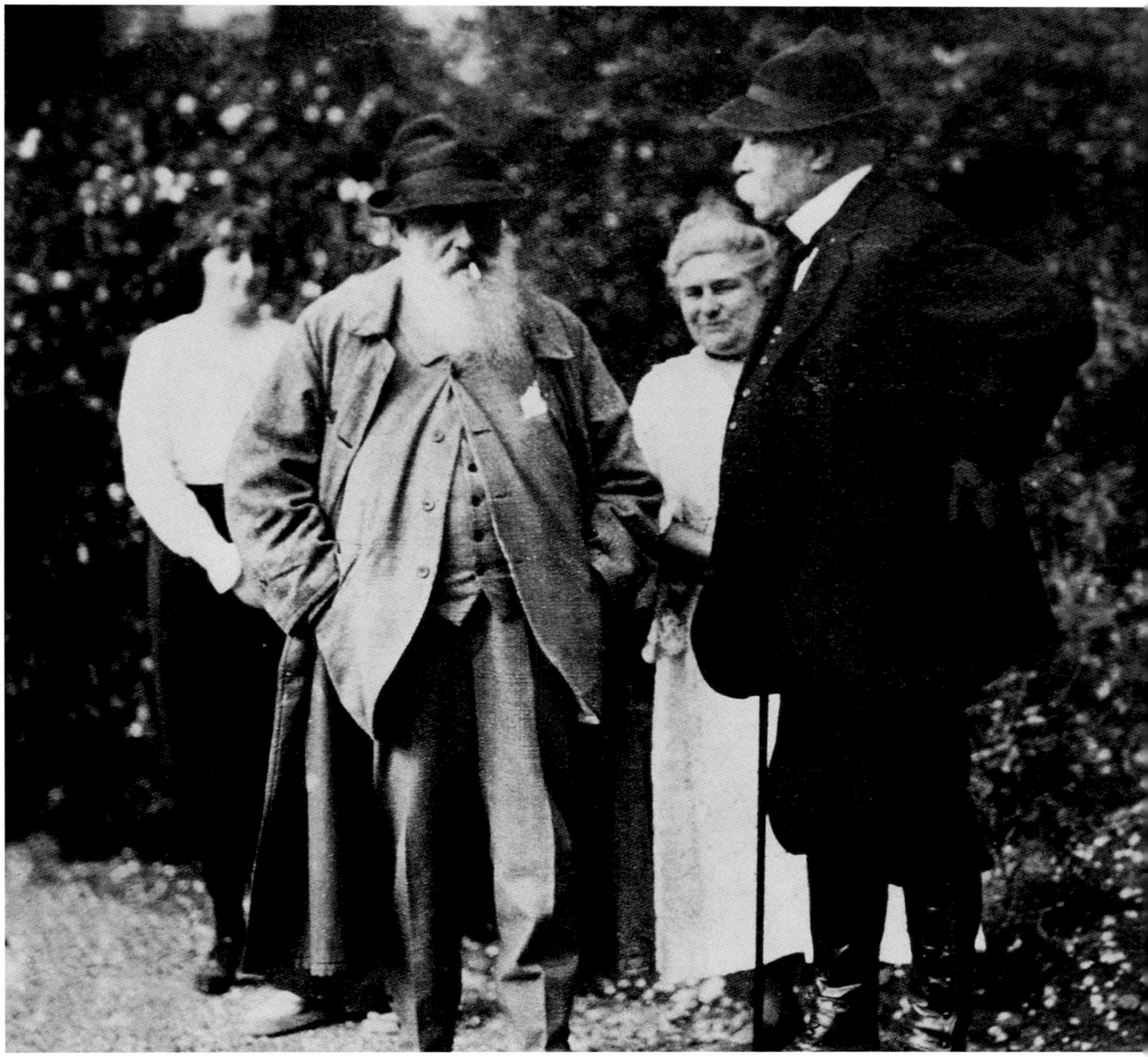

▲
Clemenceau, Premier ministre français, fut l'ami inséparable de Monet, avec lequel il apparaît sur cette photographie de 1921 ; avec eux, Blanche Hoschedé.

À 49 ans, il fait déjà figure de personnalité dans le milieu artistique, pas seulement en France, mais également aux États-Unis, où les peintres Sargent et Mary Cassatt l'ont fait découvrir à leurs amis, et à Londres, où la succursale de

▲
Dans *Essai de figure en plein air : Femme à l'ombrelle tournée vers la gauche* (1886), Monet place les couleurs avec une intensité qui préfigure le fauvisme.

Boussot-Valadon expose vingt de ses toiles sous le titre d'Impressions. L'Exposition Universelle de 1889 présente trois de ses tableaux : *L'Église de Vernon, Les Tuileries et Vétheuil.*

Toutefois, la véritable consécration en tant qu'artiste arrive lorsque son nom figure aux côtés de celui d'Auguste Rodin à l'occasion d'une exposition de Georges Petit qui rassemble « les deux géants de l'art moderne ». Dans la galerie de la rue Sèze, on peut ainsi admirer trente-six sculptures de Rodin, ainsi que quarante-cinq toiles de Monet peintes entre les années 1864 et 1889.

En 1890, il s'investit dans un projet d'envergure : l'installation au Louvre de l'*Olympe* de Manet. « Le silence et l'injustice de tous à l'égard de son souvenir et de son grand talent m'exaspèrent » écrit Monet. Sargent l'informe que l'un de ses compatriotes désire acquérir cette toile dont personne n'avait voulu lors d'une vente publique ultérieure au décès du peintre (1884). Monet effectue de multiples démarches pour organiser une souscription publique afin d'acheter le tableau à la veuve de Manet pour 20 000 francs. Finalement, en novembre 1890, les Musées nationaux acceptent la toile *Olympe* pour le Musée du Luxembourg. Clemenceau, répondant aux désirs de Monet, fait transférer le tableau au Louvre en 1907.

En 1890, les doutes semblent à nouveau l'assaillir et il affirme à Geffroy : « Je suis à court d'inspiration et complètement dégoûté de la peinture ». Inquiet par l'état dépressif du peintre, Mirbeau lui conseille de ne pas se « martyriser à essayer d'atteindre un impossible ». D'autres problèmes perturbent le travail de l'artiste. En effet, son fils Jean est frappé par une grave maladie durant son service militaire. Afin qu'il soit réformé, Monet demande de l'aide à Mallarmé, Bracquemond, Hanotaux (ministre des Affaires Étrangères) et au peintre Jeanniot, ami de Degas. L'automne de cette même année, la situation financière de Monet s'est beaucoup améliorée, ce qui lui permet d'acqué-

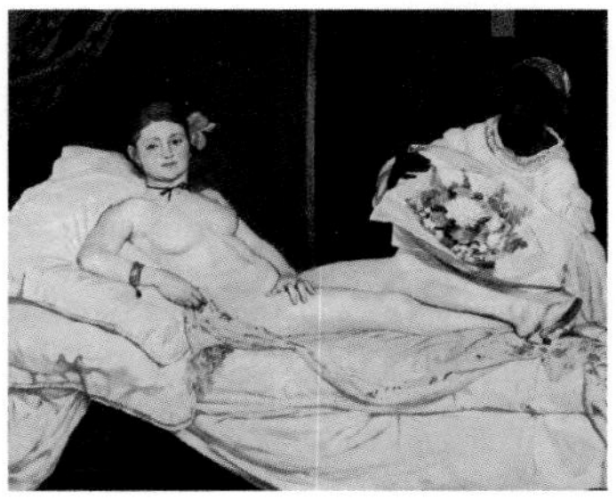

Un duel pour l'*Olympe*

L'initiative de Monet d'acquérir l'*Olympe* auprès de l'épouse de Manet n'est pas appréciée de tous. Certains, comme Émile Zola, y voient l'intention de se faire de la publicité. Antonin Proust, le plus ancien ami de Manet, juge cette donation insultante pour la famille ; un duel pour cette raison fut évité de peu.

rir la maison de Giverny. La possibilité de construire un nouvel atelier et de créer le jardin de ses rêves changera sa vision de la vie. Les dix années suivantes définissent une nouvelle orientation. Monet a toujours aimé représenter un même motif depuis des angles différents, à la manière de Hokusai ou de Hiroshige, dont il fut l'un des premiers admirateurs. Désormais, il ne réalise plus de compositions isolées et entame la période des séries, avec des variations dans la lumière ou la forme et une plasticité sans précédent dans le façonnage de ses impressions.

La révolution des cathédrales

La première série est consacrée aux meules de foin en hiver ou en été, isolées ou regroupées, à l'aube ou au crépuscule. Monet commence ces œuvres en plein air, dans les champs de Giverny, et les termine ensuite dans son atelier. En mai 1891, sur les vingt-deux œuvres exposées par Durand-Ruel, quinze ont pour thème les meules de foin. Elles rencontrent un grand succès : « Ils veulent tous des *Meules à la tombée du jour*. Tout ce qu'il fait part pour l'Amérique » écrit Pissarro. C'est à New York précisément qu'en 1891 a lieu la première exposition individuelle de Monet. Elle sera suivie d'une autre à Boston. Deux ans plus tard, il connaît le succès dans la ville de Chicago à l'occasion d'une exposition financée par une millionnaire, Mme Potter-Palmer.

En 1891, il consacre une nouvelle série aux peupliers des marais de Limetz, vus d'une barque sur l'Epte. Sur les vingt-trois œuvres de cette série, celles des troncs se prolongeant dans les reflets de l'eau surprennent par l'expressivité des harmonies colorées, rappelant le style de Van Gogh. Monet connaît un succès considérable. Sa situation financière lui permet de rompre l'exclusivité qui le lie à Durand-Ruel, qui expose seulement quinze de ses œuvres en 1892. Malgré sa notoriété grandissante, la candidature d'un certain Lagarde est préférée à celle de Monet pour décorer les galeries nord et sud de la Mairie de Paris.

La disparition d'Ernest Hoschedé en 1891 lui permet de régulariser sa relation et d'épouser Alice le 16 juillet 1892. Le mariage a lieu quelques jours avant celui de Suzanne Hoschedé et de Théodore Butler. Ce peintre appartient à la colonie américaine qui, depuis quelques temps, s'installe à Giverny dans l'espoir de rencontrer Monet ou de s'inspirer des mêmes paysages. Certains, tels que Robinson, Lilla et Perry, noueront une amitié durable avec les Monet.

La cathédrale de Rouen sert de thème à la troisième série. En février 1892, Monet réside deux mois dans cette ville où vit son frère et le grand collectionneur François Depeaux. Il réside à l'hôtel d'Angleterre et loue une chambre à un marchand de nouveautés face au monumental chef-d'œuvre de l'art gothique. Suite à un second séjour de même durée en 1893, il réalisera, à partir de trois angles de vue à peine différents, vingt-huit versions qu'il achèvera dans son atelier de Giverny. « Plus je vais, plus j'ai de mal à rendre ce que je sens ; et je me dis que celui qui dit avoir fini une toile est un terrible orgueilleux » écrit Monet. Au printemps et à l'été, souvent accompagné de

Consacré aux côtés de Rodin
La première apparition publique de la sculpture de Rodin *Les Bourgeois de Calais*, dans la galerie de Georges Petit, crée l'évènement. Il faut en partie déplacer une œuvre de Monet, ce qui provoque l'amertume du peintre.

▼
Les Bourgeois de Calais d'Auguste Rodin (1884-1886).

▲
Ci-dessus, une photographie actuelle du pont japonais de Giverny. Ci-dessous, le peintre devant ce même pont, sur une photographie prise en 1900.

Blanche Hoschedé, le peintre fait appel à d'anciens thèmes : les saules, les peupliers et la brume sur la Seine.

À l'automne 1894, Cézanne en vacances à l'hôtel de Giverny, retrouve chez Monet, Rodin, Clemenceau et Geffroy. « Monet est le meilleur d'entre nous », dira Cézanne, et dix ans plus tard, il répètera : « Je méprise tous les peintres vivants, sauf Renoir et Monet ».

Dans les cercles artistiques de Paris, on parle des tableaux de la cathédrale de Rouen, de leur beauté inusitée, mais également de leur prix. À l'issue de négociations parallèles entre Durand-Ruel, la maison Boussod-Valadon et Maurice Joyant, Monet obtiendra 12 000 francs par toile. Le peintre désire montrer au public la série dans son ensemble, et la première exposition a lieu en mai 1895, dans la galerie de Durand-Ruel. Sur les cinquante toiles présentées, vingt sont de la cathédrale de Rouen. Clemenceau se fait l'écho de l'admiration générale en publiant, dans *La Justice*, un article intitulé : *La révolution des Cathédrales*.

Les prémices du fauvisme

À l'occasion de cette exposition, les visiteurs découvrent également huit paysages de Norvège, où Monet avait séjourné deux mois durant l'hiver 1895. Hébergé par son beau-fils Jacques Hoschedé, il fut reçu comme l'un des plus grands peintres paysagistes du moment. C'est à Sandviken qu'il a trouvé les thèmes qu'il ramènera avec lui : des maisons rouges dans la neige ou des vues du mont Kolsaas, des œuvres marquantes, annonciatrices du fauvisme. Durant son absence, la grippe emporte Berthe Morisot. Un an auparavant, Georges de Bellio et Caillebotte sont également décédés. Ce dernier a notamment légué à l'État dix-sept œuvres de Monet, mais le peintre insiste pour mettre de côté plusieurs

« Soudain, [...] nous salue un spectacle nouveau et exceptionnel. [...] Imaginez toutes les couleurs d'une palette, tous les tons d'une fanfare : c'est cela le jardin de Monet [à Giverny] ! »

Arsène Alexandre, critique d'art du *Figaro*

toiles qu'il estime indignes d'être exposées au Louvre.

Sa cote ne cesse d'augmenter : 21 000 francs pour *Le Pont d'Argenteuil* en 1897. De nouveaux marchands font leur apparition, tels que le jeune Bernheim qui, en février 1902, expose *Matinées sur la Seine*. Face à l'abondance de commandes, Monet retourne à ses lieux favoris pour peindre des thèmes déjà traités et adopte un peu le principe des séries à Pourville, Dieppe et Varangéville entre 1893 et 1897, et à Vétheuil en 1901 où l'accompagne Jeanne Sisley (la fille d'Alfred décédé en 1899), Monet ayant promis à son vieil ami de ne pas abandonner sa famille. L'Exposition Universelle de 1900 consacre clairement l'impressionnisme, tout comme la splendeur de Monet, représenté par quatorze toiles peintes à Argenteuil, à Vétheuil, en Hollande, en Normandie et à Antibes.

À partir de 1890, le jardinage occupe de plus en plus d'espace dans la vie de Monet et tout particulièrement le « jardin d'eau », pour lequel il a fallu dévier un bras de l'Epte. Un chef jardinier et son équipe le secondent. Le marchand et collectionneur japonais Hayashi, avec qui le peintre échange des tableaux contre des estampes, lui fait parvenir des espèces rares de son pays. Monet s'enthousiasme pour les nénuphars ou nymphéas, que Mallarmé chantera dans un poème de 1885, et pour lesquels, afin de mieux profiter de leur floraison, il fait construire un pont sur l'étang qui semble inspiré des illustrations d'Hokusai. Cette construction fragile apparaît dans les premières toiles de nénuphars exposées à la galerie de Georges Petit en 1898. Deux ans plus tard, Durand-Ruel présente une dizaine de tableaux inspirés de ce même pont japonais et de la confusion de saules et d'iris qui l'entoure.

Malgré cela, le peintre ressent le besoin d'offrir à ses admirateurs des thèmes en rapport avec l'univers urbain et choisit Londres, ville qu'il n'a eu cesse d'admirer.

▲
Monet admire les estampes japonaises, comme celle-ci de Chobunsai Yeishi, dont il est un grand collectionneur. Il en possèdera jusqu'à deux cent trente et une.

▲
À ses funérailles, son ami Clemenceau lui rend un dernier hommage : il ôte le voile noir avec lequel on voulait couvrir son cercueil et le remplace par un rideau de toile claire en déclarant : « Pas de noir pour Monet ! ».

Il y séjourne durant l'automne 1899, en février 1900 et en avril 1901. Sa correspondance évoque une centaine de toiles consacrées au Parlement de Londres, au pont de Charing Cross et à celui de Waterloo. La Tamise, brillante parmi le brouillard, joue un rôle fondamental. Les brumes vibrantes de la lumière, dans lesquelles l'influence de Turner et de Whistler est notable, enchantent les amoureux de l'impressionnisme, tandis que la nouvelle génération, imprégnée du style de Cézanne et partisane du retour à la géométrie, reste indifférente. En 1904, Durand-Ruel expose trente-sept toiles de cette série, sous le titre de « Vue de la Tamise à Londres ».

À l'automne 1908, Monet voyage pour la dernière fois à l'étranger, accompagné d'Alice. Il se rend à Venise. À l'instar des peintres qui l'ont précédé, il rend éternelles les images du Palais Ducal, de la Salute et du Grand Canal. À son retour, il s'installe chez l'une de ses belles-filles, à Cagnes, et rend visite à Renoir aux Colletes. Depuis la mort de Cézanne en 1906, ils sont, avec Degas, les grands survivants de la génération impressionniste. Un halo de gloire les précède où qu'ils aillent et chaque thème qu'ils traitent attire des centaines d'amateurs.

Son ultime obsession

Entre 1904 et 1908, le jardin aquatique, avec lequel Monet semble maintenir un dialogue ininterrompu, occupe une place essentielle dans l'œuvre du peintre. Depuis 1902, le motif du pont a disparu. L'œil du peintre ne se pose plus sur les iris, les agapanthes et la surface cristalline où les reflets des nuages se mélangent à ceux des nymphéas ou nénuphars.

Quatre douzaines de ces paysages d'eau sont exposés en 1909 dans la galerie de Durand-Ruel. Le critique Roger Marx exprime le souhait qu'un mécène en fasse une décoration ininterrompue. C'est Clemenceau, plus tard, qui réalisera ce rêve. De sa résidence de Bernouville, il se rend souvent à Giverny, où les visiteurs se font de plus en plus nombreux : des collectionneurs fervents, comme Paul Gallimard, Raymond Koechlin, le joaillier Vever, des personnalités de la littérature et du théâtre, comme Paul Valéry, Sacha Guitry et la chanteu-

se Namara, ainsi qu'un grand nombre de peintres tels que Signac, Bonnard et Vuillard.

La période allant de 1911 et de 1914 est synonyme de douleur pour Monet. Le peintre perd Alice en 1911 et son fils Jean en 1914, qui avait épousé Blanche Hoschedé en 1897. Les attentions de Blanche, qui s'est installée avec lui à Giverny, ainsi que celles de ses amis intimes Clemenceau et Geffroy seront nécessaires à Monet pour qu'il retrouve le plaisir de peindre et se réapproprie le projet des grandes décorations sur le thème des nymphéas. À cet égard, Monet fait construire, en plus de ses deux ateliers, un autre doté d'un éclairage zénithal. Se levant à quatre heures du matin, comme il l'a toujours fait, Monet recouvre avec frénésie des toiles de grande envergure. C'est encore Clemenceau qui lui suggère de participer à la victoire de 1918 en offrant les *Nymphéas* à l'État. Cependant, Monet ne souhaite pas s'en séparer de son vivant et, alors qu'il en fait don en 1922, la première exposition publique de cet ensemble de dix-neuf panneaux n'aura lieu qu'en 1927.

À partir de 1912, bien qu'il continue de peindre, il se plaint de problèmes oculaires qui l'affectent de plus en plus. En 1923, une opération de la cataracte lui rend la vue et lui permet de reprendre le travail avec son ardeur caractéristique. Il décède le 5 décembre 1926, à l'âge de 86 ans. ■

▲
Photographie de la salle du Musée de l'Orangerie où sont exposés les *Nymphéas*. Monet en fait don en 1922 et une salle de ce musée des Tuileries est spécialement aménagée pour recevoir l'œuvre.

Galerie

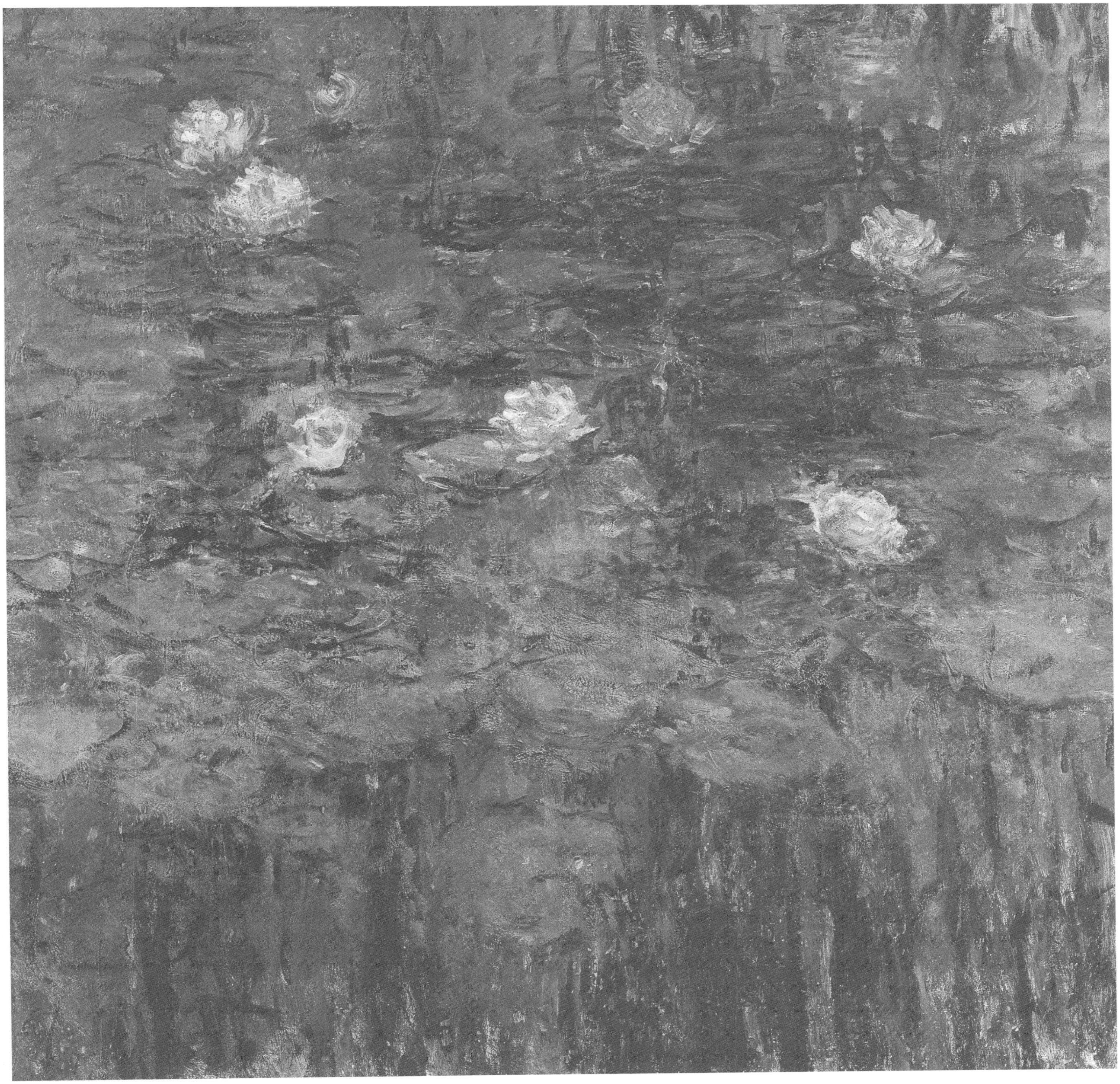

Une peinture sans limites

Teresa Camps
Professeur titulaire d'Histoire de l'Art,
Université Autonome de Barcelone

« Je suis de plus en plus frénétique face au besoin de représenter ce que j'expérimente et je me jure que je ne continuerai pas à être aussi imcompétant, car il me semble que je pourrais faire de grands progrès ».

Claude Monet

Pour Claude Monet, comme lui-même le dit dans ses lettres, le fait de peindre est une lutte et un effort épuisant, mais aussi un plaisir et un objectif personnel. Concernant la peinture, Monet découvre, semble-t-il, la nécessité de s'éloigner des normes de l'harmonie et la proportion, de la rencontre littéraire et la représentation objective, du clair-obscur, de l'allusion aux mythes, clichés et lieux communs, pour se rapprocher de ce que voit l'œil afin de l'exprimer visuellement comme le voit et le perçoit l'œil et non pas la norme ou l'esprit.

Il ressent le besoin de se situer lui-même au centre du cadre domestique, familier et naturel, et de comprendre ce qui le constitue et le différencie visuellement : la lumière, les couleurs, les ombres, les mouvements et les changements. Il veut « voir » et « peindre » avec logique, soit peindre dans la nature, en plein air, là où les choses existent et se manifestent. « Je sais seulement que je fais ce à quoi je pense pour exprimer ce que je ressens face à la nature et que souvent, pour traduire ce que je ressens vivement, j'oublie les règles les plus élémentaires de la peinture, si elles ont seulement existé », dit-il. Si l'on considère l'expérience de Monet, on se demande alors s'il existe des limites à la peinture.

En partant du prédicat que le monde extérieur est rendu visible selon la lumière qui le définit, les effets de la lumière sont prépondérants. Sans nul besoin de la description des formes, ces effets de lumière donnent de la couleur aux arrières plans et aux ombres, permettent l'utilisation des taches de couleurs pures et libèrent les contours. Omniprésente, la lumière se traduit en couleurs. La représentation est alors réduite à des effets chromatiques, c'est-à-dire visuels ou picturaux, et la réalité n'est pas décrite mais traduite en peinture. Le mouvement et le changement sont perçus comme une réalité constante à laquelle doit répondre la couleur pour ne pas être fixée dans un moment et dans une tonalité différente de l'antérieure. Une couleur est appliquée près d'une autre couleur complémentaire. La main doit travailler avec rapidité et a besoin du coup de pinceau pour capter non pas la lumière et le mouvement réels des choses, mais l'impression des infinies notes de couleur qui les constituent.

Avec ténacité et insistance, le peintre se laisse porter par la logique des faits et par l'audace qui lui permet de pressentir un résultat satisfaisant, et de travailler « dans la solitude et selon [ses] propres impressions ». Rien n'est laissé au hasard ni à l'improvisation. Monet souhaite voir et peindre des situations et des lieux partagés avec ses amis peintres ; proposer et donner une issue à la perception des sensations atmosphériques vitales : l'air, la brise, l'humidité, le brouillard, la lumière de la neige, l'odeur de la terre et les ombres ou des thèmes nouveaux tout aussi réels, comme la fumée des machines de train ; s'arrêter sur des situations qui ont toujours existées sans pour autant être jamais représentées en peinture, comme l'eau de la mer s'écrasant contre les falaises ou les reflets des barques sur la rivière.

Monet renonce au thème grandiose ou solennel en faveur du thème simple de la nature. Il répète les mêmes motifs avec la volonté de les comprendre, non pas comme éléments définitifs voire figés, mais comme le reflet d'un changement continu. Ainsi, les thèmes nouveaux deviennent de grands défis : le mouvement de la mer, la fumée des locomotives, la façade de la cathédrale, les reflets changeants de l'eau de ses nymphéas, la fidélité de l'observation et la possibilité d'identification liée à la surprise de la vision renouvelée dans laquelle est inscrit le passage, parfois imperceptible du temps.

Peut-on parler de représentation ou de vision subjective lorsque l'effort du peintre se concentre sur un vaste et unique motif, toujours changeant et différent dans sa même représentation ? Peut-être faut-il simplement parler de peinture qui appartient au peintre qui la crée. Monet voyait la peinture dans l'herbe, les fleurs, les nuages transportés par le vent, mais surtout, dans l'eau qui reflète et se déplace, dans la fumée, dans le passage du temps et dans les changements de lumière sur l'étang apparemment tranquille de ses nymphéas. Ce thème semble aussi disparaître ; il ne reste quasiment que la peinture. ■

▲
Monet peint les mêmes motifs inlassablement et obtient des résultats toujours différents, comme *Le jardin du peintre à Giverny*, tableau réalisé en 1900 et exposé au Musée d'Orsay.

Trophée de chasse

1862

Huile sur toile
104 x 75 cm
Musée d'Orsay, Paris (France)

Monet signe à nouveau de l'initiale de son deuxième prénom, Oscar, cette œuvre de brillante exécution réalisée avant d'entrer à l'atelier de Gleyre. Au Salon de 1859, il avait admiré « une toile magnifique de Troyon, un chien avec une perdrix dans la gueule ». Son mentor, Eugène Boudin avait également réalisé, quelques années auparavant, des natures mortes représentant des scènes de chasse.

L'enrichissement généralisé de la bourgeoisie sous le Second Empire remet au goût du jour une peinture décorative et familière à la fois, illustrée au XVIIIe siècle par Chardin, Oudry et Desportes. Pour un jeune peintre, ces thèmes se vendent facilement. De ce fait, Monet prend vraisemblablement exemple sur Charles Monginot, qui lui prête son atelier entre 1859 et 1860. Cet élève de Couture, ami intime de Monet, se spécialisera ensuite dans ce type de peinture. Le musée d'Anvers conserve l'un des *Trophée de chasse*.

À cette époque, le jeune Monet exécute également quelques natures mortes plus réalistes, inspirées sans doute de François Bouvin qu'il a connu à la Brasserie des Martyrs à Paris, ou de Théodule Ribot, client habituel de l'auberge Saint Siméon à Honfleur.

La magnifique disposition de cette toile laisse à penser que Monet la présenta à son futur maître pour démontrer ses capacités. Dans cette composition pyramidale légèrement décentrée, le cornet à poudre ressort sur le mur blanc. La diagonale du fusil coupe le triangle formé par les anses de la cartouchière. La sobriété du revêtement en bois du mur contraste avec l'amoncellement d'oiseaux sur la table en marbre rouge et avec le chien de chasse, en premier plan, qui semble fasciné par le spectacle.

Monet a détaillé avec un brio extraordinaire le faisan doré, le coq de bruyère qui se dessine contre la gibecière, la perdrix rouge, la bécasse et la bécassine. Mais cette splendide démonstration n'aura pas de continuité, car Monet cessera de peindre ces thèmes. ■

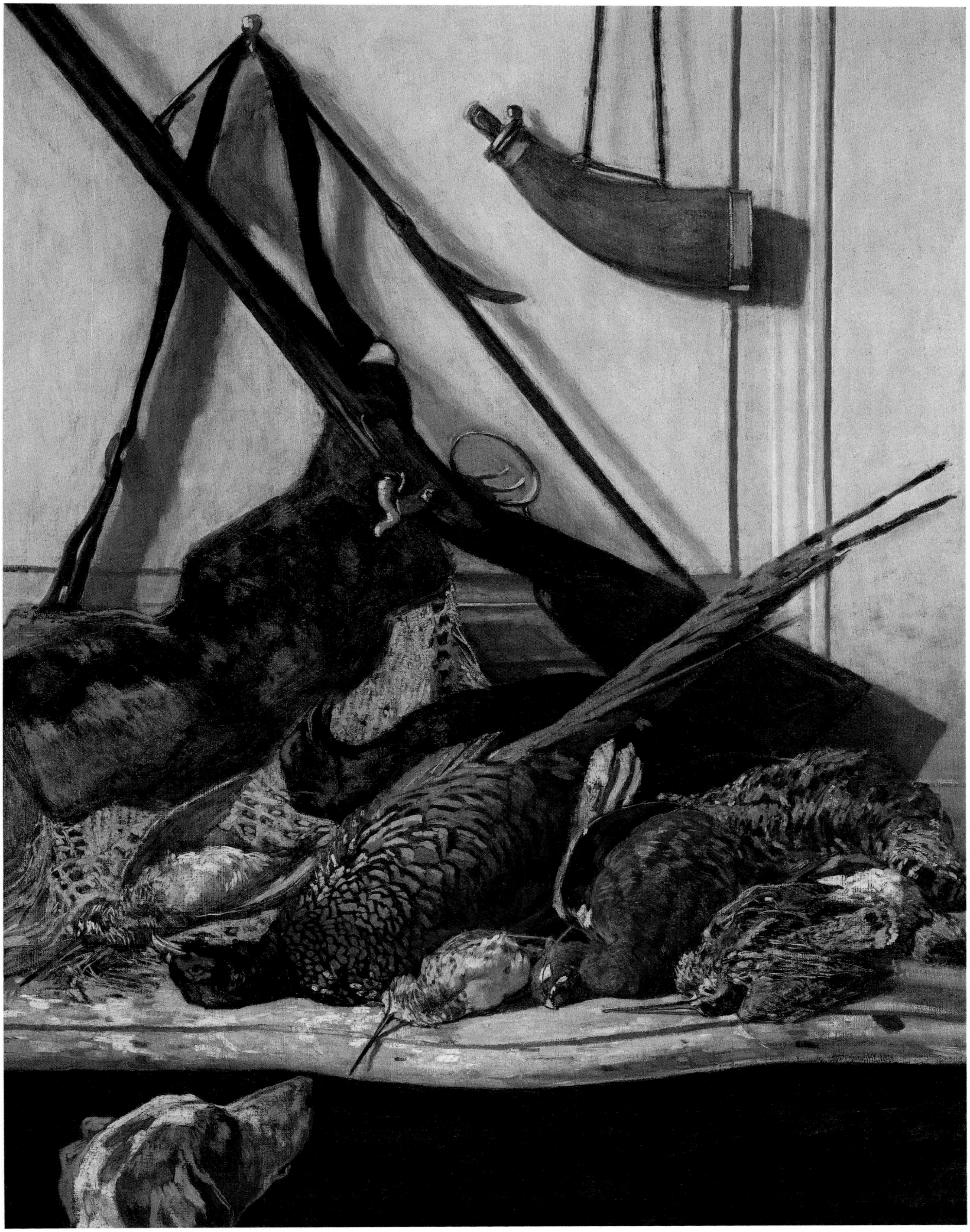

Le Déjeuner sur l'herbe

L'image complète
Grâce à l'étude finale de l'œuvre, conservée à Moscou, nous connaissons l'idée complète que Monet avait du tableau. En la comparant aux fragments de la toile finale qui ont été conservés, certains changements apparaissent, comme le nouveau style de certains vêtements féminins, qui confirme le goût de Monet pour la mode.

▼
Le Déjeuner sur l'herbe, étude finale à l'huile, 1865. Musée Pushkin (cidessus). Le *Déjeuner sur l'herbe*, fragment gauche, 1865. Musée d'Orsay (à gauche).

1865 - 1866

Huile sur toile (partie centrale)
248 x 217 cm
Musée d'Orsay, Paris (France)

« Je ne pense qu'à mon tableau, et si je venais à le rater, je crois que j'en deviendrais fou », écrit Monet à Bazille. Il a vingt-cinq ans et est audacieux. Il choisit un format exceptionnel (6 x 4,60 m), réservé généralement aux « grands thèmes » historiques ou religieux, et non aux évènements anodins comme un déjeuner. Oser représenter douze personnages en taille réelle constitue sans doute un pari ambitieux pour un artiste qui n'a jamais peint de groupes.

Après avoir démontré son habileté à travers les paysages, il est décidé à impressionner pour s'imposer lors du prochain Salon. Mais, n'ayant pu l'achever à temps, le tableau ne sera pas présenté au Salon. Pire encore, en 1878, Monet doit le laisser en gage au propriétaire de sa maison d'Argenteuil. Lorsqu'il le récupère, en 1884, l'humidité avait détérioré plusieurs fragments de toile. La partie gauche et le centre (ci-reproduit) du tableau ont été conservés.

Contrairement à Manet qui, dans son *Déjeuner sur l'herbe*, avait peint le nu et la magnifique nature morte à la lumière de l'atelier, Monet place ici les personnages et les victuailles au premier plan sous la lumière naturelle. Il innove radicalement et utilise ces touches de lumière solaire qui donnent à la toile sa teinte originale. Il marque ainsi un moment crucial de l'art moderne. La nappe immaculée aux zones ensoleillées et la jeune femme vêtue de mousseline blanche à pois créent un losange de lumière dans ce paysage de forêt. Monet se différencie également de Manet à un autre niveau. Il n'y a rien de grivois dans cette atmosphère cordiale. L'artiste essaye surtout de transmettre le côté momentané de la scène.

L'œuvre originale comptait douze personnages. Il n'en reste que quatre dans le fragment que nous considérons et, de chaque côté, la présence invisible de femmes dont il ne reste qu'un morceau de robe. En arrière-plan, on reconnaît Bazille qui avait posé pour plusieurs personnages masculins. Lambron des Piltières, modèle initial du personnage masculin assis, fut remplacé par Courbet qui était venu rendre visite à Monet pendant son travail. Dans une photographie du tableau prise en 1920 à Giverny, on aperçoit sur la droite une tête de femme portant un chapeau à plumes. Ici, elle a disparu. Peut-être était-ce Camille qui, pense-t-on, était entrée dans la vie de Monet à l'occasion de cette toile ? ■

Jeanne-Marguerite Lecadre au jardin

1867

Huile sur toile
80 x 99 cm
L'Ermitage, Saint-Pétersbourg (Russie)

Zola, après avoir vu les toiles des jardins de Monet, en regrette le rejet par le jury du Salon, mais pense : « Quelle importance cela a-t-il, puisqu'elles resteront l'une des grandes curiosités de notre époque ? ». En effet, l'autorité avec laquelle Monet place les volumes des végétaux, répartit les ombres, place le carmin des fleurs et le bleu intense d'un ciel d'été, différencie son œuvre de la majorité des toiles du même style admises au Salon. Tandis que les autres peignent des portraits, Monet évoque une présence, celle de Jeanne-Marguerite Lecadre, mais en tant qu'élément humain dans un univers végétal.

Le jardin occupe une place prédominante : des massifs de géraniums couronnés d'une cascade de roses blanches, de grands arbres mélangés à des peupliers. Le feuillage verni d'un arbuste exotique indique que nous nous trouvons au Havre, une ville où les connaisseurs se disputent les espèces venues d'outremer. Rien ne permet d'identifier la promeneuse, une simple silhouette légère sur la pelouse. Celle-ci entre en scène comme dans un théâtre. Et de là, s'impose une comparaison entre le splendide rosier « reine des neiges », au centre de la composition, et cette femme élancée qui se dirige vers lui, vêtue d'un blanc immaculé, identique à celui des fleurs. ■

Femmes au jardin

1866-1867

Huile sur toile
255 x 205 cm
Musée d'Orsay, Paris (France)

Les femmes de cette toile semblent provenir du *Déjeuner sur l'herbe*. Trois d'entre elles portent effectivement des robes identiques à celles du célèbre tableau. Les quatre personnages baignent dans la chaude luminosité d'un jardin ornemental. Ici aussi, Monet inscrit les personnages dans un paysage et le format, quoique plus petit, reste encore substantiel. Entreprise suite au succès de *Camille* au Salon, cette toile devait permettre à l'auteur de faire face au prochain jury avec un thème agréable et toujours apprécié : les femmes et les fleurs.

L'exécution en plein air revêt ici une importance que Monet soulignera avec une argumentation presque publicitaire. Il fit creuser une tranchée dans son jardin pour monter ou baisser le tableau à sa guise, suivant la partie qu'il peignait pour capter ainsi, dans toute sa spontanéité, l'ambiance impalpable d'un après-midi d'été.

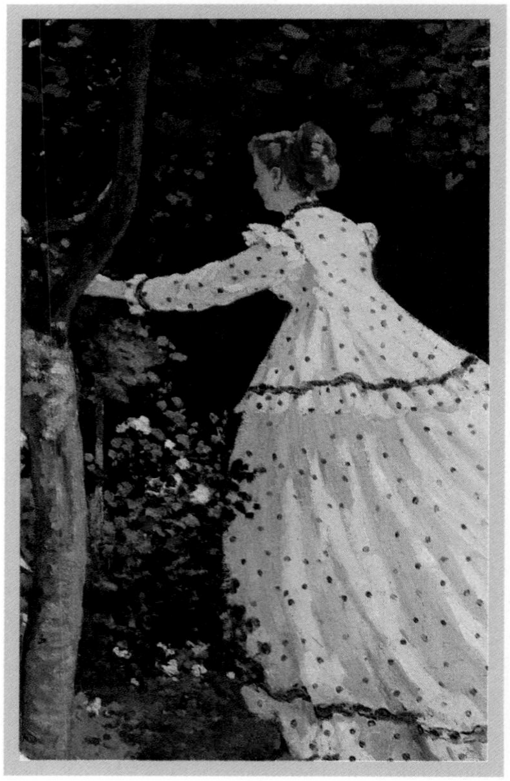

L'impact du blanc
L'un des aspects remarquables du tableau est l'utilisation du blanc si particulier de Monet. Cette couleur prédomine tant qu'elle confère au tableau un caractère presque irréel. Ceci, ajouté à la faible relation entre les personnages, est sûrement la plus grande critique que le jury du Salon fit à l'œuvre.

Entamée dans la maison louée par Monet à Sèvres-Ville-d'Avray, l'œuvre fut achevée au cours de l'hiver dans l'atelier du Cheval Blanc, à Honfleur. Dans cette composition sans profondeur, les silhouettes composent autour de l'arbuste central une espèce de ronde de laquelle émanent charme et légèreté. À gauche, apparaît le personnage de Camille, vêtue d'une robe à rayures blanches et vertes, couverte d'une ombrelle plate à fleurs ornée d'un ruban. C'est elle à nouveau, de face, vêtue d'une tenue de couleur pêche et dissimulant son visage derrière un bouquet de roses, de coquelicots, d'anémones et de camomilles. Il est peu probable qu'elle ait posé pour la jeune femme assise car ses traits sont ceux du modèle qui occupe la même position centrale dans le *Déjeuner sur l'herbe*. La robe s'ouvre en corolle, à la façon d'une fleur. Légèrement séparée des autres, une autre jeune femme s'incline vers l'arbuste des roses, avec un mouvement sinueux qui met en valeur le tombé du tissu.

Cette certaine ressemblance avec les gravures de mode du *Journal des demoiselles* ou du *Courrier élégant* a dû nuire à cette toile devant le jury, qui la rejette en 1867. Une année plus tard, l'écrivain Émile Zola observe : « [Monet] aime nos femmes, leurs ombrelles, leurs gants, leurs chiffons, jusqu'à leurs postiches et leurs poudres de riz, tout ce qui les rend filles de notre civilisation [...] Comme un vrai parisien, il emmène Paris à la campagne. Il ne peut peindre un paysage sans y ajouter des messieurs et des dames en toilette ... ». ■

Terrasse à Sainte-Adresse

1866-1867
Huile sur toile
98 x 130 cm
The Metropolitan Museum of Art, New York (États-Unis)

Dans cette toile, l'auteur juxtapose deux mondes qui lui sont familiers : la bourgeoisie du Havre et l'activité commerciale du grand port. L'intimité de la terrasse contraste avec l'immensité de la mer. Monet appelait cette œuvre « Mon tableau chinois avec drapeaux », imprégnée de l'influence des estampes venues du Japon que l'on ne distinguait pas alors de celles de la Chine. La fraîcheur des couleurs et l'absence de toute transition entre elles fascinent les artistes des estampes exposées à l'Exposition Universelle de 1867.

Au premier plan, à l'intérieur du quadrilatère défini par la balustrade et les parterres, un soleil invisible mais omniprésent, découpe avec précision chaque élément : le rectangle et le triangle des drapeaux, les lignes courbes des fauteuils, les personnages, dont le père du peintre, les lignes verticales des mâts auxquels répondent les tiges des glaïeuls. On reconnaît déjà l'amant des jardins que sera Monet, au plaisir qu'il prend à décrire la fluorescence rouge des capucines, des géraniums et des coquelicots, le blanc des camomilles et le gris des cinéraires marines. Une impression d'été et de perfection esthétique se détache de ce panorama inondé de soleil. ■

Claude Monet

Grosse mer à Étretat

1868-1869
Huile sur toile
66 x 131 cm
Musée d'Orsay, Paris (France)

À Étretat, Monet suit les pas de Delacroix et de Corot. Huet s'y déplace en 1868, peu avant Monet, et Courbet y exécutera, l'année suivante, la célèbre *Vague*. Las vagues de Monet possèdent, cependant, un esprit différent et sont plus expressives et plus colorées. Les vagues se brisent en de lourdes crêtes blanches et ne laissent voir qu'une partie de la plage, où un groupe observe leur déferlement. Vieux pêcheurs, épouses et fils de marins partagent la même angoisse causée par ce point noir secoué par les vagues à la limite entre le ciel couleur encre et l'eau jaunâtre pouvant être le bateau qu'ils attendent. Le dense empâtement donne de la vigueur à ce tableau. Les personnages peints succinctement sont incroyablement expressifs. ■

La Pie

Vers 1867-1868
Huile sur toile
89 x 130 cm
Musée d'Orsay, Paris (France)

En janvier 1869 il neige beaucoup. À Étretat, Monet prépare des nouveaux sujets d'hiver et demande à Bazille de lui envoyer les couleurs qu'il utilisera pour *La Pie* : « Beaucoup de blanc d'argent, beaucoup de noir d'ivoire, beaucoup de bleu cobalt, beaucoup de laque fine, du jaune ocre... » Il emploie ces pigments pour peindre la neige. Il ne s'agit plus des harmonies en blanc et marron des scènes de patinage peintes par Jongkind. Il ne s'agit pas non plus de la neige lourde et dense de Courbet, mais d'une matière légère et lumineuse. L'intérêt de Monet pour la peinture hollandaise laisse supposer qu'il apprécie Breughel. Alors que le peintre hollandais multiplie les personnages, Monet montre un univers où l'homme est totalement absent. Cette composition très simple où l'on remarque l'influence de Corot, est parfaitement équilibrée : un premier plan consacré à la géométrie des ombres, un deuxième, à la magie des branches couvertes de neige, un horizon à perte de vue pouvant être une plaine ou la mer. *La Pie* fut refusée au Salon de 1869 ; peut-être à cause de ces admirables effets d'ombres bleues répétés sur le plumage de la pie soulignant cette volonté coloriste qui la transforme en un oiseau bleu. ■

Claude Monet

La Grenouillère

1869
Huile sur toile
74,6 x 99,7 cm
The Metropolitan Museum of Art, New York (États-Unis)

En 1869, la visite de Napoléon III donne du prestige à cette buvette à la mode de l'île de Croissy. Cela séduit autant Monet que Renoir. Tous les jours, les deux placent leurs chevalets sur l'île. Écrivains, artistes et éditeurs se retrouvent dans cet établissement accompagnés de ces parisiennes frivoles, dont le goût pour la nage leur valut le surnom de grenouilles. Dans ses différentes versions de *La Grenouillère*, la fascination pour l'eau mène Monet à des abstractions complexes entre les reflets du ciel, la ligne des arbres, les constructions nautiques et les personnages. Dans cette composition, les élégants personnages du *Déjeuner sur l'herbe* ou des *Femmes au jardin* ont disparu. On ne voit aucun visage. De Manet, Degas ou Sisley, qui fréquentaient *La Grenouillère*, proviennent peut-être les silhouettes, à peine esquissées, formant une succession d'instantanées : des personnages debout dans le bar, un homme qui marche avec précaution sur la passerelle, des baigneurs mélangés avec les promeneurs dont les vêtements, à peine détaillés, imitent les couleurs de l'eau. Aujourd'hui, le nom de cette buvette est indissociable de Renoir et Monet, car c'est ici que « la nouvelle peinture », qui n'est pas encore appelée impressionnisme, commence son ascension. ■

BLEAU

Hôtel des Roches Noires à Trouville

1870

Huile sur toile
81 x 58,5 cm
Musée d'Orsay, Paris (France)

Cet été de 1870, la saison est excellente à Trouville. Cette plage, un prolongement de Deauville, est mise à la mode par le duc de Morny. Depuis des années, le spectacle de l'élégant balnéaire inspire à Boudin des tableaux de plus en plus appréciés. Un commerçant, Gauchez, achète systématiquement tous ses petits sujets. En août, Monet, exaspéré par le refus de *La Grenouillère* et du *Déjeuner sur l'herbe* au Salon de 1870, s'unit à Boudin en espérant profiter de l'enthousiasme régnant.

Il s'installe avec Camille et son fils à l'hôtel Tivoli, dans une rue secondaire. Mais, pour peindre, il plante son chevalet devant le somptueux hôtel des Roches Noires, peuplé de célébrités. Ainsi, il l'immortalise trente ans avant qu'il fusse utilisé par Marcel Proust comme modèle pour l'hôtel de Balbec dans *À la recherche du temps perdu*. Si les drapeaux agités par le vent font penser à *Terrasse à Sainte-Adresse*, le style et l'atmosphère y sont très éloignés. À la lumière implacable, à l'ordre strict et à la violence des couleurs, s'oppose une douce luminosité : un ciel d'été avec des nuages qui se découpent dans le bleu du ciel et qui s'amassent à l'horizon. Monet se livre à ces sensations atmosphériques, l'un des aspects essentiels de l'impressionnisme. Une disposition originale montre le fier bâtiment dans une perspective à points de fuite et non de face. Dans cette palette de nuances, les tons clairs, dominés par la couleur dorée du sable et de la pierre et par les tenues blanches de rigueur, la seule interruption est celle représentée par les touches rouges et osées des drapeaux.

À l'intimité familiale de Sainte-Adresse s'oppose le mouvement estival de Trouville : les gens entrent, sortent, se montrent au balcon, se promènent, se saluent, se font voir... Tout cela avec une élégance aristocratique. Le spectacle ne vient pas de la mer, à peine visible, mais des rues et des avenues qui mènent vers la promenade qui la longe. Au premier plan, un grand espace vide isole les personnages dans cet endroit fermé d'un côté par la lignée de réverbères et par les mâts des drapeaux, et de l'autre par la masse imposante de l'hôtel. C'est là que se produit ce ballet mondain, délicieux et frivole, que la déclaration de guerre est sur le point d'interrompre. ■

La figure humaine
Même si Bazille se demande dans une lettre : « Est-ce que Monet peint Madame de Metternich ? », l'une des beautés du Second Empire, les personnages sont à peine reconnaissables dans les toiles exécutées devant l'hôtel des Roches Noires, et leurs silhouettes témoignent que Monet avait une vision plus synthétique que son mentor Eugène Boudin.

Moulins près de Zaandam

1871
Huile sur toile
40 x 72 cm
Walters Art Gallery, Baltimore, (États-Unis)

« Il y a ici des sujets suffisants pour peindre toute une vie », dit Monet à Pissarro en arrivant à Zaandam. Cette ville, proche d'Amsterdam, était considérée comme l'une des plus originales de l'Europe. Le Japon que Van Gogh cherche à Arles, Monet le trouve ici. Ce tableau laisse entrevoir un peu le style de Jacob Maris et des peintres de l'école de La Haie. Des canaux et des chemins, entre Zaandam et Oostzam, se perdent dans l'horizon où le clocher d'Oostzijderkerk se confond avec les ailes d'un moulin. Une femme descend l'escalier d'un pont. Son chapeau pointu et la barre transversale d'où pendent les seaux qu'elle transporte, ajoutent une légère connotation sociologique à ce qui serait autrement un paysage pur. Une impression d'extrême solitude se détache de ce tableau. ■

Impression, soleil levant

1872
Huile sur toile
48 x 63 cm
Musée Marmottan, Paris (France)

Tableau mythique, éponyme du mouvement le plus populaire de l'histoire de la peinture, en 1874, *Impression, soleil levant* fait son entrée dans l'histoire de la peinture. Le public le découvre lors de la première exposition collective du groupe de Batignolles. La presse de l'époque réagit vivement et parfois négativement comme Leroy, critique du *Charivari*, qui donne à son article le titre « L'Exposition des impressionnistes », et choisit cette toile comme cible de critique. Pour lui, « le papier peint dans son état embryonnaire est plus achevé que cette marine ». Au contraire, Philippe Burty remercie Monet de « saisir des impressions aussi fugaces ». Armand Silvestre, un autre ami des peintres, s'approche de la vision de Monet, Pissarro et Sisley pour expliquer : « Il ne recherche qu'un effet d'impression, il laisse la recherche de l'expression aux passionnés de la ligne ». La similitude de cette toile avec une aquarelle est aussi commentée.

Aujourd'hui, on comprend mieux les intentions de ce tableau exécuté par l'artiste à l'hôtel de l'Amirauté du Havre. La fenêtre s'ouvre au port intérieur, qui sera détruit pendant la Seconde Guerre Mondiale, et offre des interprétations différentes selon l'heure du jour ou de la nuit. La toile saisit l'instant le plus fugitif, quand le soleil émerge de la brume. La procé-

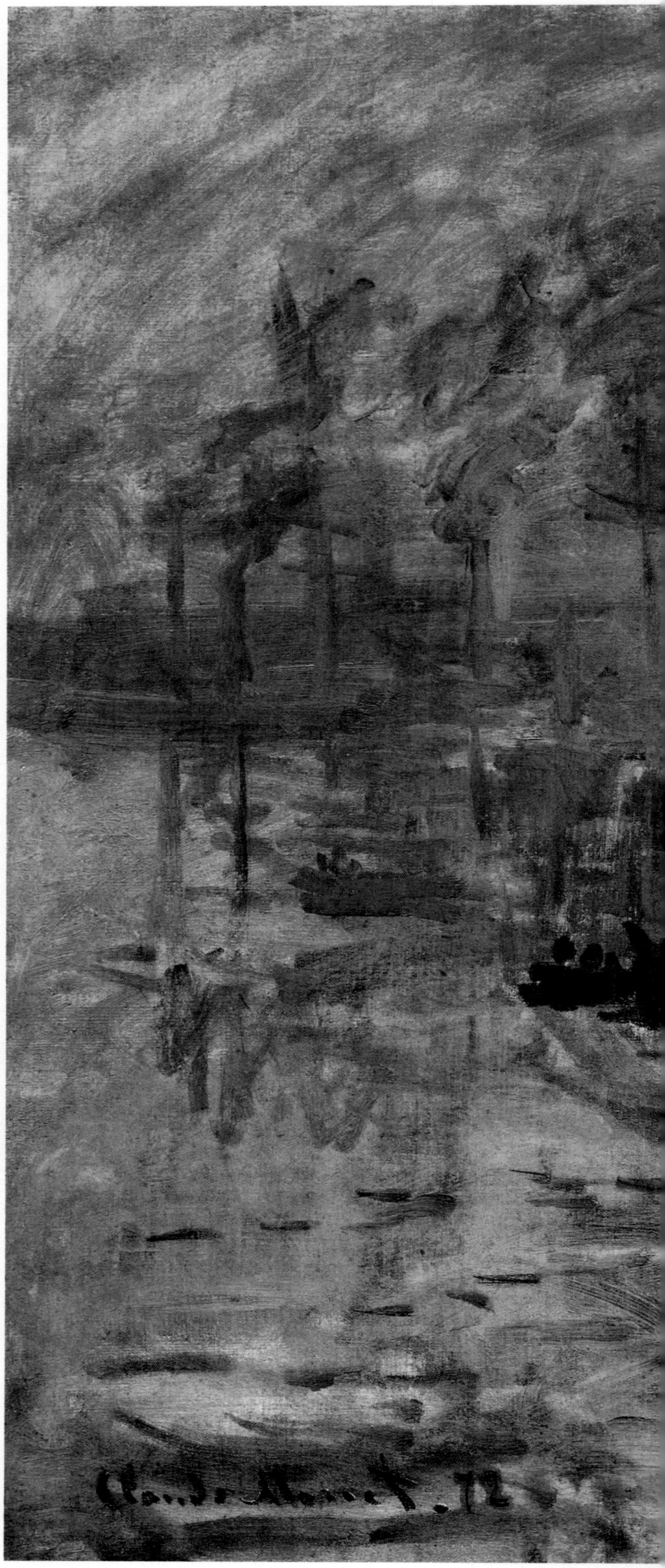

dure laisse entrevoir la matérialité de la toile, de façon à souligner la rapidité inhérente à l'exécution. Cet espace pictural n'a cependant rien d'hasardeux ; il s'agit d'une reconstruction cohérente en des plans successifs : eau, bateau, ciel. Il transforme en quelque chose de nouveau et de primitif les influences précédentes. Monet a vu ce soleil qui lance au ras de l'eau ses rayons de feu chez Jongkind, et il l'a découvert chez Turner dans ses aquarelles de Rigi ou dans celles de Petworth, dans ces mêmes cieux imprégnés de milliers de tons rosés.

La toile restitue avec précision le sentiment de l'éphémère lié à une heure incertaine de l'aube, quand les fumées contaminent la couleur des nuages et quand les mâts se teignent des couleurs de l'eau. Cependant, il ne s'agit pas de l'instant atmosphérique que Baudelaire admirait chez Boudin. Pour la première fois, un peintre transcrit à travers des signes plutôt que par des images. Se pose ici la question de l'influence des peintures chinoises et japonaises que Monet avait admirées en Angleterre et en Hollande. Les œuvres zen (celles de Sesshu, par exemple) ont également un impact sur son œuvre, puisque sa toile transmet la même recherche de spontanéité dans le mouvement et de suggestion dans la création qui, initiée par l'artiste, devra être conclue par l'esprit du spectateur. Ainsi, la peinture devient, comme le dit Pierre Daix, « un spectacle naissant avec sa fraîcheur inconnue et ses couleurs à peine insinués. C'est une surprise. Vous avez sous vos yeux *Impression, soleil levant* ». ■

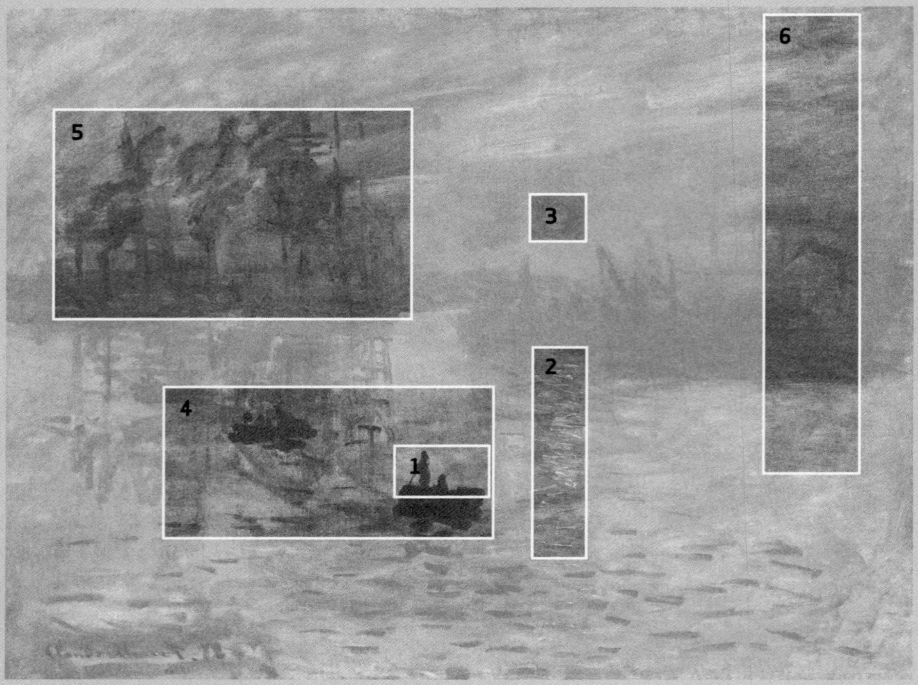

1. Les pêcheurs. Sur cette toile, la présence humaine est seulement pressentie. Monet représente d'une manière schématique les pêcheurs qui partent sur ces bateaux, dont beaucoup ne sont que quelques coups de pinceaux isolés. Seul le timonier est légèrement plus détaillé.

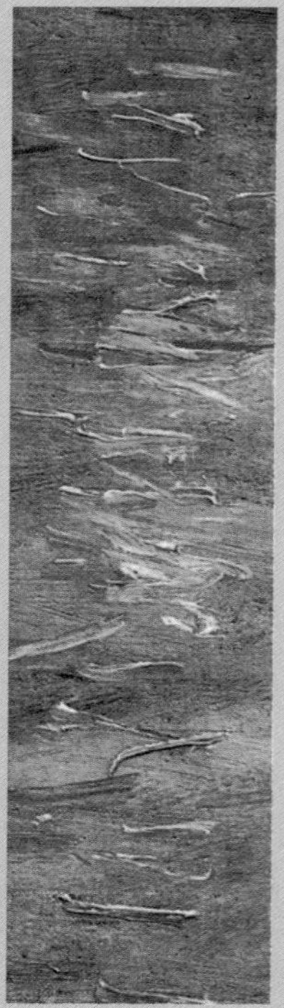

2. Les reflets du soleil sur l'eau. De la même manière que les rayons de soleil paraissent imprégner le ciel avec des tonalités jaune orangées, son reflet sur l'eau se limite à une frange étroite, réalisée avec des traits horizontaux de couleur orange de plus en plus espacés à mesure qu'ils s'approchent du spectateur.

3. Le soleil. Monet, influencé par Turner et Whistler, fait du soleil le protagoniste grâce à l'intensité chromatique qu'il lui confère, en ajoutant du vermillon et du jaune à l'orange primitif. Outre la couleur, les coups de pinceaux créent un volume qui permet de délimiter parfaitement la sphère solaire. La brume qui imprègne le tableau empêche l'irradiation de dénaturer la sphère parfaite qu'il dessine.

4. Les bateaux. Le bateau situé au centre du tableau, le seul élément de la toile non couvert par la brume, sert à l'auteur pour créer la perspective, en s'aidant des deux autres bateaux qui peuvent se deviner derrière. Ensemble, ils créent une diagonale qui donne de la profondeur à la toile.

5. La machinerie du port. L'activité du port du Havre est représentée par les cargos en arrière-plan et par les usines qui travaillent intensément, en lançant leurs colonnes de fumée vers le ciel. Seuls quelques coups de pinceaux ébauchent aussi bien les cargos que la machinerie, réalisée avec un mélange de tons bleus et verts, qui laissent entrevoir sur quelques points l'apprêt de la toile. Monet ne cherche pas le détail ; il prétend seulement saisir l'instant.

6. La brume. Monet crée une brume qui enveloppe presque toute la toile à base de gris confondus avec des traits mauves en appliquant des coups de pinceaux larges et détachés. Il s'agit plutôt de suggérer la présence de la brume que de lui donner une présence réelle dans la toile. À certains erndroits, on devine le fond blanc procurant de la luminosité à l'ensemble.

Régates à Argenteuil

1872

Huile sur toile
48x75 cm
Musée d'Orsay, Paris (France)

Lors de son séjour en Angleterre, Monet découvre les aquarelles de Turner et les simplifications que Whistler adopte des Japonais. Mais dans cette œuvre, on ne peut plus parler d'influence. L'assimilation de l'art japonais est telle qu'un style complètement nouveau s'impose. La composition est sobre. Le blanc et le rouge claquent sur les bleus du ciel et du fleuve, sur le vert de la rive.

Il y a aussi la violence de la lumière incandescente, presque aveuglante. Alors que l'eau dissout les éléments (maisons, barques, arbres, personnages), rompant en multiples fragments ce que le pinceau a construit, elle n'en atténue pas les couleurs et insuffle ainsi une nouvelle vitalité au premier plan. Les coups de pinceaux, fermes et larges, créent sur la surface de l'eau un univers flottant, parallèle, aussi présent qu'un monde réel. Comme toujours, Monet peint avec une surprenante économie de moyens les acteurs de la scène : une femme avec une ombrelle et les hommes manœuvrant les voiliers. Les couleurs vives et les coups de pinceaux synthétiques de *Régates à Argenteuil* annoncent, avec trente ans d'avance, le fauvisme. ■

Claude Monet

Les Coquelicots à Argenteuil

1873
Huile sur toile
50 x 65 cm
Musée d'Orsay, Paris (France)

Les alentours d'Argenteuil offrent une grande variété de paysages et de lumières que Monet et ses amis ne se lassent pas de peindre. Ainsi Renoir exécute son *Chemin montant dans les hautes herbes*, très semblable à cette toile. Tous cherchent à traduire non pas le paysage mais la sensation que produit celui-ci. L'estampe d'Utagawa Hiroshige *Déjeuner au temple de Kaian pour admirer les érables rouges à Shinagawa*, que Monet possédait, lui a peut-être inspiré cette organisation des personnages du groupe. L'image de Camille et de son fils sur le point de sortir du champ de vision pendant que leurs doubles se profilent à l'horizon, divise la scène et lui apporte mouvement et instantanéité.

La simplicité de la composition confère à la toile une légèreté radieuse. Un ciel traversé par des nuages blancs s'ajoute à la lumière qui s'élève sur ce tapis écarlate d'où émergent les passants. Le petit Jean se confond presque avec les fleurs. Camille avance, indolente et gracieuse. Une impression de ralenti, de temps suspendu, règne dans ce champ délimité par la barrière des arbres, image d'un monde maintenant protégé, où le rouge des coquelicots évoque le souvenir des hommes qui, peu auparavant, étaient tombés aux champs de bataille d'Argenteuil ou sur les barricades de la Commune. ■

Le Déjeuner

1873-1874
Huile sur toile
160 x 201 cm
Musée d'Orsay, Paris (France)

Monet choisit un format exceptionnel pour cette œuvre de sa période à Argenteuil qui fut présentée à la deuxième exposition impressionniste. La ressemblance avec *Le Déjeuner* réalisé en 1868 à Étretat, où son fils était représenté à table entouré de personnages féminins, met en évidence la rupture entre la peinture d'avant-guerre et les toiles postérieures. Le caractère réaliste du déjeuner à Étretat n'a rien à voir avec l'atmosphère de ce jardin.

Le choix symbolique des objets suffit à composer une nature morte raffinée et à témoigner d'un déjeuner servi après une promenade. Le premier plan est consacré à cette table abandonnée, à la desserte et au banc, dans une disposition rappelant le style de Degas. Les aliments se détachent du blanc de la nappe. Chaque élément paraît suspendu dans le temps. En opposition à la vie silencieuse des objets et à l'éloignement psychologique des personnages, le jardin éclate de vitalité avec sa profusion de fleurs : le vermillon des géraniums, l'écarlate des pensées, la touche bleue des ageratums et la touche blanche des saponaires. Les plates-bandes, les bouquets et les massifs dessinent l'espace avec leurs volumétries ondulantes et vaporeuses. Ni la maison au fond, ni ses habitants ne semblent vraiment intéresser le peintre. ■

Boulevard des Capucines

1873

Huile sur toile
60 x 80 cm
Musée Pouchkine, Moscou (Russie)

En 1873, la recherche d'un local pour la future exposition collective des impressionnistes les conduit à l'atelier du photographe Nadar, 35 boulevard des Capucines. Monet installe son chevalet au balcon du deuxième étage, face à l'Opéra Garnier qui sera inauguré deux ans plus tard. Le tableau qu'il entreprend sera un emblème pour l'une des avenues les plus à la mode et pour l'exposition d'avant-garde qui se prépare.

Le peintre opte pour une vision en pointillé, comme dans les photographies aériennes qui furent l'un des nombreux succès de son hôte. Cette composition en diagonale s'organise selon deux plans déterminés par la lumière : le trottoir à l'ombre et celui au soleil avec les façades éclairées des bâtiments. Une multitude de petites silhouettes, traduites par des annotations graphiques, atteste de l'effervescence de la foule à la veille des fêtes.

Contrairement à certains critiques comme Leroy, Chesneau se montre très enthousiaste : « Jamais l'imperceptible, le fugitif, l'instantané du mouvant n'a été capté et exprimé dans sa prodigieuse fluidité comme dans cette merveilleuse ébauche... ». Pour lui, la toile est une œuvre qui retentira dans le future. L'intérêt constant que le XXe siècle manifesta à Monet en est la preuve. ■

Le Pont du chemin de fer à Argenteuil

Vers 1874
Huile sur toile
55 x 72 cm
Musée d'Orsay, Paris (France)

Le thème de la toile a tous les ingrédients pour séduire le peintre : une puissante intervention moderne qui présente des relations complexes avec le paysage. Dans une version plus ensoleillée de ce pont, un voilier occupe le centre de la scène. Ici, aucun élément extérieur n'interfère dans la rencontre éphémère du pont ferroviaire avec les éléments naturels. Ce qui intéresse avant tout Monet est son architecture. La structure massive se découpe entre le ciel et l'eau. Entre deux piliers, le renfort laisse entrevoir un pan de la berge de Gennevilliers comme focalisé par l'objectif d'un appareil photo. Le versant descend doucement vers le fleuve animé d'un mouvement perpétuel. Il y a là deux forces qui se heurtent : l'une verticale et statique avec ses quatre piliers massifs ; l'autre horizontale et fluide, faite d'ondulations et de reflets qui changent avec le ciel gris, le vent et le courant. La couleur quasi monochrome du pont s'oppose aux eaux nuancées du fleuve. Le ciel, parsemé de nuages, est le scénario d'une agitation incessante où se mêlent les volutes de fumée de la locomotive. Le train, élément central du tableau, est à peine évoqué par une ligne plus obscure au-dessus du garde-corps. Son rythme, artificiel, n'a rien à voir avec le cours implacable de la Seine, le passage des nuages ou le tremblement soudain d'une branche. ■

Madame Monet et son fils

1875

Huile sur toile
100 x 81 cm
Galerie Nationale d'Art (collection Mellon), Washington (États-Unis)

Pendant longtemps, Monet représente le monde contemporain, centre d'intérêt de toute la peinture impressionniste, au travers de sa femme Camille. Ses multiples portraits jalonnent les premières années à Argenteuil : Camille lisant sous l'éclat des particules de soleil, arrêtée devant la fenêtre, au milieu des fuchsias et des capucines grimpantes, conversant sous un lilas, s'ennuyant avec un inconnu ou dans un pré de marguerites. Parfois Jean est avec elle, l'enfant sérieux sur lequel veille une domestique. Cette femme fleur se fanera vite et mourra ; Monet s'est déjà distancié d'elle.

Madame Monet et son fils, toile exposée lors de la deuxième exposition impressionniste de 1876, est acquise cette même année par le docteur de Bellio. Le tableau est imprégné du double sentiment du temps qui passe et du temps météorologique, ce monde éphémère et flottant en perpétuel devenir. Dans une mise en scène admirable, Camille se découpe au sommet de la colline où n'est pas encore arrivé son fils. Les deux ombres inégales se fondent dans la végétation acide des herbes de juin dans lesquelles se devinent les irrégularités du terrain. Les petits coups de pinceaux entrecoupés, contrastés, rapides, créent au premier plan la prairie, une espèce de mouvement accentué par une gamme de verts à peine caressée par d'indécises fleurettes jaunes.

Des coups de pinceaux plus larges bousculent les nuages que le vent paraît mettre en lambeaux ; ce vent qui secoue l'ombrelle, tire la jupe, agite le voile. Monet reçoit ses sensations visuelles et les transmet au spectateur. Les différents bleus du ciel déteignent, par leurs reflets, sur les blancs de la robe de Camille. Plus tard, Monet reviendra à traiter ce même thème plastique avec toute sa force, mais sans atteindre l'état de grâce qui fait de ce tableau une synthèse de l'impressionnisme dans sa totalité. ■

Le petit Jean
Sans avoir l'intention de faire un portrait, les traits à peine ébauchés du fils aîné du peintre révèlent son caractère sérieux. Pendant que Camille fixe son regard sur le spectateur, le petit Jean le dirige sur le côté, maintenant ainsi une attitude distante. Ses mains dans les poches accentuent cette volonté de rester au second plan, là même où l'a placé son père.

La Japonaise (Madame Monet en kimono)

1875 - 1876
Huile sur toile
231,6 x 142,3 cm
Musée des Beaux Arts, Boston (États-Unis)

Avec ce portrait de sa femme habillée en japonaise, Monet rend hommage, non sans humour, à la patrie de ces estampes qui enrichissent sa vision et celle de tant d'autres artistes de sa génération. Il n'est pas le premier à le faire ; avant lui, Whistler (*La Princesse du pays de la porcelaine*, 1864) et Manet lui-même (*Portrait d'Émile Zola*, 1868 ; *La dame aux éventails*, 1873) firent aussi référence à l'Empire du soleil levant.

Il existe une espèce d'ironie volontaire dans le fait d'exposer cette *Japonaise* après le japonisme allusif de *Impression, soleil levant* qui eut un accueil si décevant. Son titre, *Japonerie*, dans le catalogue de la deuxième exposition impressionniste, précise bien l'intention du peintre : faire plaisir avec un thème à la mode et démontrer, comme le signale un article de son ami Pothey (le graveur Martial), qu'il sait « peindre autres choses que des paysages ». Il atteint son objectif : toute la presse parle de son tableau. Les uns, qui comparent *La japonaise* avec *Camille ou La Femme à la robe verte*, assurent « qu'elle resplendit comme un feu d'artifice » et ils disent qu'elle a l'air de jongler avec les éventails. Les autres font des plaisanteries d'un goût douteux sur les motifs du kimono.

Cette parisienne habillée en japonaise ressemble à une geisha sortie d'une estampe de Harunobu, et elle est représentée dans la même disposition sans profondeur. Nous sommes au théâtre, au règne de l'artifice. D'où les cheveux étonnamment blonds de Camille, en réalité brune, qui semble rire de sa transformation. Le décor consiste seulement en une natte aux dessins géométriques et en des éventails de type *uchiwa*.

Au sol et sur les murs d'un bleu taché, volent des éventails décorés avec des motifs en l'honneur de ce pays lointain : pivoines, hérons, carpes, montagnes, personnages en barque, héroïnes nationales... Cependant le véritable sujet de la toile est ce resplendissant kimono écarlate avec sa traîne en forme d'éventail, brodé de bleu, d'or et de vert. La grâce et la légèreté des feuilles et des oiseaux s'opposent au ballet éthéré à la férocité du guerrier hirsute, sans doute Benkei, la célèbre fine lame japonaise, qui dégaine son sabre en faisant des grimaces furieuses, avec un mouvement de tête inverse au mouvement plus coquet de Camille. ■

Les couleurs du drapeau français
Les spectateurs ont aussi dû apprécier l'allusion à la politique contemporaine : cette Japonaise tient un éventail bleu, blanc et rouge. « C'est flatteur pour la France », observe un critique, mais aussi pour la République, récemment consolidée et qui vient d'adopter définitivement ces trois couleurs pour son drapeau.

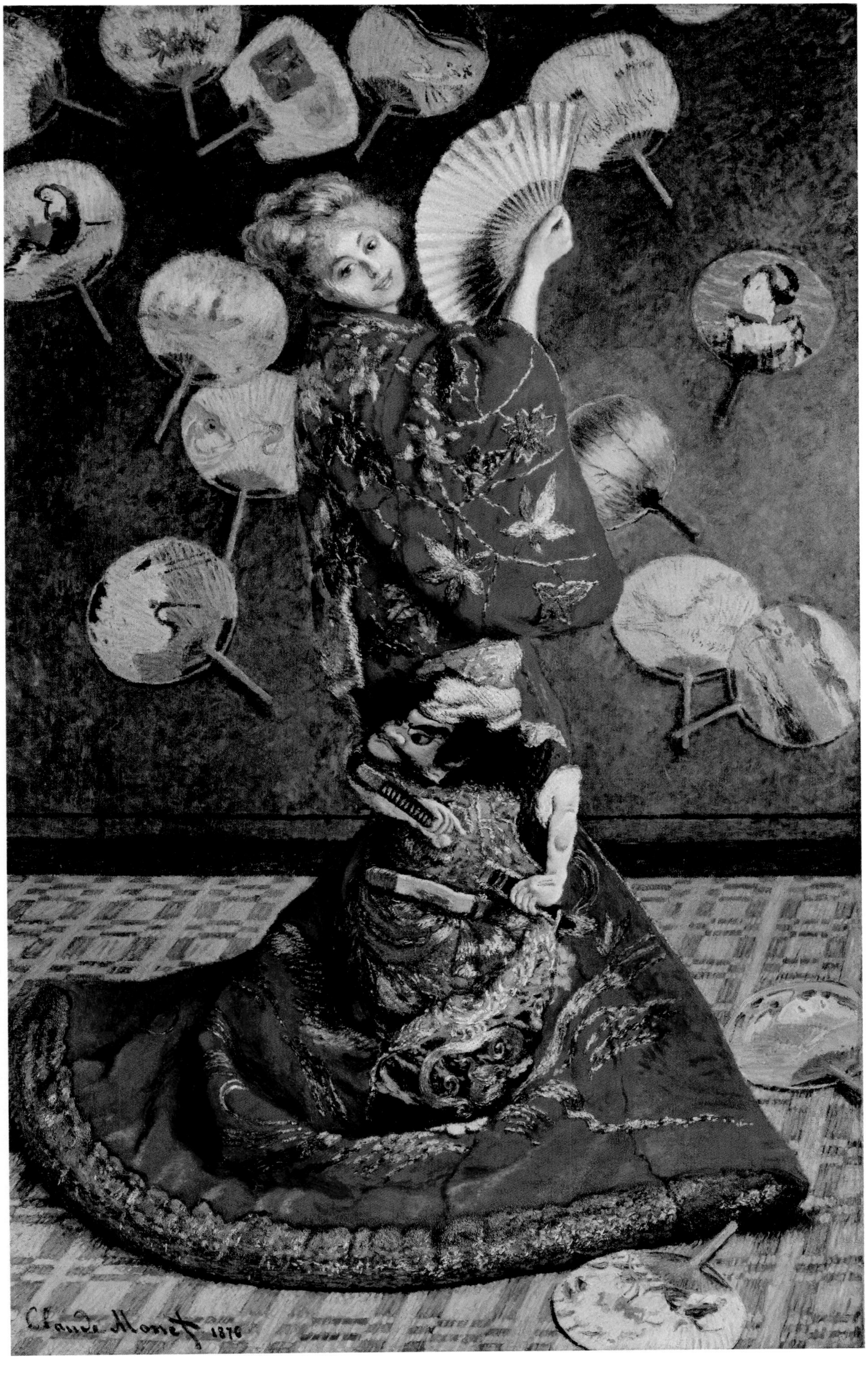
Claude Monet 1876

L'Étang à Montgeron

1876

Huile sur toile
173 x 194 cm
L'Ermitage, Saint Pétersbourg (Russie)

À la demande de ses hôtes, la famille Hoschedé, Monet se promène dans le parc de Montgeron à la recherche d'angles de vue. Avait-il vu en Angleterre le *Malvern Hall* de Constable ? La façade de ce château ressemble de loin à celle des *Dindons*, et l'étang au premier plan reflète également les arbres qui l'entourent. Néanmoins, cette toile se rapproche plus de la construction par « structures de couleurs » de William Turner.

Dans le numéro 1 de *L'impressionniste*, Georges Rivière décrit l'étude réalisée par Monet pour cette toile : « les rives de l'étang aux eaux profondes sont d'un bleu sombre dans lesquelles se reflètent les grands arbres ». Il est probable que l'œuvre, bien que commencée à l'automne précédent, n'ait pas été terminée pour la troisième exposition impressionniste. À cette époque, il peint également plusieurs vues d'automne de la Seine à Argenteuil. Les couleurs chaudes imprègnent les premières feuilles rouges à la surface de l'étang et les premiers ors sur la colline à l'horizon où brille encore le soleil.

Cette peinture, décorative par le simple jeu des tons colorés, exprime la fascination que l'eau exerce sur Monet. Les deux tiers de la toile sont occupés par le reflet des arbres : plus sombre sur la gauche, sous le mélèze, plus clair sur la droite, peut être sous un tilleul. Les larges coups de pinceaux horizontaux se brisent parfois en zigzags pour transmettre la sensation des ondulations provoquées par le vent sur cette surface tranquille. Un grand clair de lumière, au centre de l'étang, semble dessiner une immense silhouette féminine découpée comme celle de *La japonaise*.

Sur la droite, presque invisible, apparaît une femme, et sa silhouette se projette à ses pieds comme les troncs sans branches qui l'encadrent. Près d'elle, on aperçoit l'ébauche d'un autre personnage. Autour de l'étang, on devine également la présence d'autres personnes qui se promènent. Dilués dans l'ensemble, ces personnages ne prennent même pas valeur de signes. Monet a déjà engagé son tournant esthétique qui, 25 ans plus tard, à Giverny, débouchera sur un dialogue entre l'étang et les nuages duquel sera écarté l'homme. ■

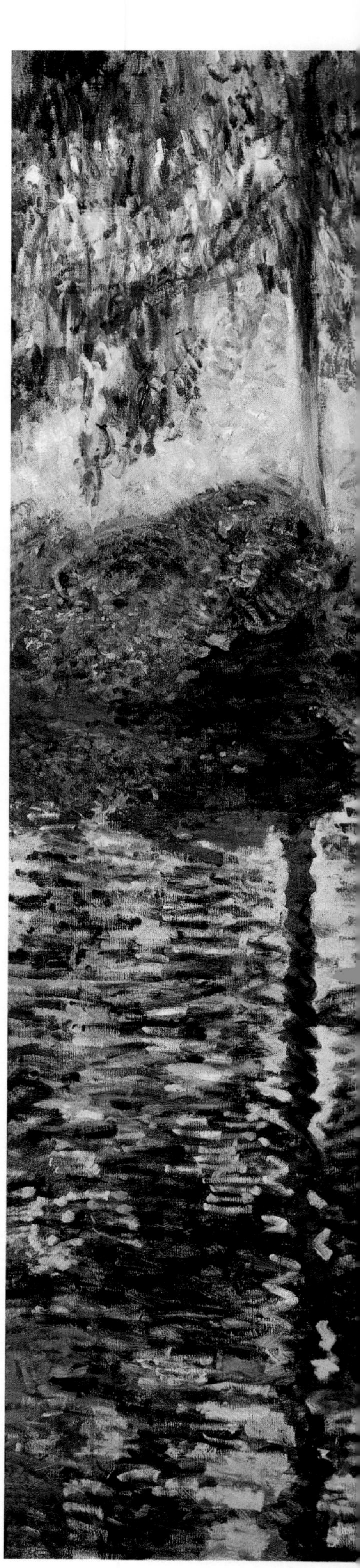

Les Dindons

1876-1877
Huile sur toile
174,5 x 172,5 cm
Musée d'Orsay, Paris (France)

Ernest Hoschedé avait certainement déjà vu l'exemple d'œuvre décorative proposée par Monet dans le *Déjeuner sur l'herbe* quand il lui commanda quatre panneaux pour son château de Rottenbourg, à Montgeron, dans le département de l'Essonne. Ceux-ci représentent des aspects du parc associés aux saisons : *Un coin de jardin à Montgeron*, au printemps, la saison des roses, *Les Dindons blancs*, sous la chaleur étouffante de l'été, *L'Étang*, avec les premières nuances de l'automne, *La Chasse*, au début de l'hiver. Ce prétexte classique n'enferme pas le peintre dans une formule ; il lui donne une structure nouvelle, qui sur cette toile, acquiert une singularité surprenante.

En suivant l'exemple des propriétaires de Montgeron, Monet, qui peint très rarement des animaux, choisit cet oiseau blanc pour l'apport esthétique de ses taches de lumière sur la pelouse. Les différents oiseaux du *Manga* de Hokusai, rendu célèbre longtemps auparavant par les Bracquemond, ont influencé l'importance décorative donnée à ces dindons. Par ailleurs, sa façon de traiter la pente dans un mouvement sinueux évoque certaines photographies de l'équipe des frères Bisson escaladant les Alpes.

Peu de tableaux de Monet offrent un tel sentiment de plaisir tactile dans la manière d'entrecroiser les coups de pinceaux et de construire à l'aide de la couleur. Là, le jeu des reflets ne s'applique ni à un miroir, ni à la surface soyeuse d'un costume, mais à la livrée pâle de ces créatures presque fantasmagoriques. La couleur écarlate des cous grenus contraste avec le plumage blanc que le soleil couchant illumine de reflets rosés, alors qu'ailleurs, la pelouse le teint de vert et ombre de bleu les grandes plumes des ailes des oiseaux.

Pour réaliser son tableau, l'artiste s'installe au pied de la colline sur la rive du Yerres, d'où ce balancement qui semble éloigner encore plus la perspective, au fond de laquelle on aperçoit la demeure. Ces façades roses chargées de mystère réapparaîtront plus tard chez Degouve de Nuncques et Magritte. Cette demeure sous un ciel de tempête n'évoque pas les fastes de cet été, mais semble plutôt prête à disparaître dans l'horizon et ce, avant que des enchères en privent la famille Hoschedé.

L'œuvre représente un évènement marquant dans la trajectoire de Monet, aussi bien pour sa splendeur plastique que pour sa curiosité, qui semble un prélude aux découvertes surréalistes. ■

La Gare Saint-Lazare

1877
Huile sur toile
75,5 x 104 cm
Musée d'Orsay, Paris (France)

À ciel ouvert ou dans une gare, en été sous le soleil, ou en hiver sous la neige, Monet peint des trains. Il est fasciné par ce moyen de transport qui change la vie de toute une génération. Dans l'œuvre d'Édouard Manet, on devine déjà la gare Saint-Lazare. Dans *Le Pont de l'Europe*, Gustave Caillebotte représente des personnages qui semblent observer comment travaille Monet. Néanmoins, ce dernier ne fait pas une simple référence à la locomotive, il en fait la protagoniste de la toile. C'est un fait inhabituel à l'époque, car il ne s'agit pas d'un sujet très répandu chez les impressionnistes, qui préfèrent travailler sur le paysage ou le portrait.

Monet obtient l'autorisation de s'installer dans la gare et ses alentours, le Pont de l'Europe, la tranchée et le tunnel de Batignolles. En auscultant ses palpitations secrètes, il met déjà en avant l'architecture, les locomotives, les signaux ou les voies. Les vues inondées de vapeur semblent être inspirées de Degas. Effectivement, dans ces carnets de notes, il prévoit de faire des séries et d'en consacrer une à la « fumée : des locomotives, des grandes cheminées, des usines, des bateaux à vapeur ».

Les huit toiles exposées à la troisième exposition impressionniste de 1877 ne passent pas inaperçues. Hostiles ou bienveillants, les critiques reconnaissent leur

importance. Celui du *Figaro*, sous le pseudonyme du baron Grimm, souligne : « L'artiste a voulu reproduire l'impression produite par un train sur le point de partir, un train qui part, et a essayé en dernier ressort de nous transmettre la désagréable sensation de plusieurs locomotives qui sifflent en même temps. » Quant à Banville, il déplore cette « accumulation de taches multicolores ».

Émile Zola, l'auteur du roman *La Bête humaine*, n'est pas du même avis et observe dans le *Sémaphore de Marseille* : « On entend le grondement des trains qui s'ébranlent, on voit la profusion de la fumée qui inondent les énormes toitures. C'est là qu'en est aujourd'hui la peinture, à ces cadres modernes si beaux et si grands. Nos artistes doivent trouver la poésie des gares comme leurs pères la trouvèrent dans les bois et les fleurs. » Monet réalise cette version dans la partie réservée aux lignes de banlieue qui conduisent vers les endroits préférés des impressionnistes : Chatou, Argenteuil, Vétheuil ou même Giverny .

Les objectifs de Monet sont différents : exprimer le pouvoir dissolvant de la lumière, sublimer le rôle de la machine, minimiser la présence de l'homme. Cette vaste symphonie de couleurs et de bruits constitue, avec les *Moulins près de Zaandam*, un autre prélude aux prochaines séries, mais Monet ne représente pas encore, comme il le fera avec la série des Meules, les changements successifs d'une même forme. ■

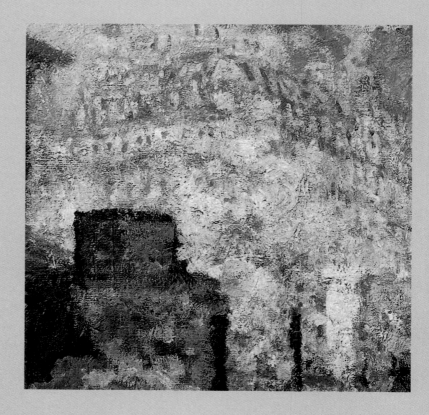

1. La ville, Paris en l'occurrence, représentée à travers l'architecture de ses immeubles d'habitation, apparaît au fond de la toile comme témoin muet de la modernité que représente le chemin de fer, qui la fait entrer dans une nouvelle ère. Ouverte sur la ville, la gare permet au spectateur de reconnaître les immeubles roses et bleus qui émergent du brouillard doré et de la fumée.

2. Architecture de verre et de fer. L'armature métallique que représente l'édifice en verre et en fer de la gare, devient une calligraphie géante où la géométrie des signes (le triangle de la couverture et la forme carrée des vitres, l'entrecroisement des rails, les lignes des piliers) s'impose à travers les arabesques dessinées par la fumée que lance l'objet en mouvement, c'est-à-dire la locomotive.

3. Volutes de fumée. L'un des objectifs de la toile est d'exprimer le pouvoir de dissolution de la lumière, le rôle de la machine, masse sombre estompée par la vapeur. La locomotive est plus présente par la fumée qui en émane, que par sa propre présence physique. Turner également, très admiré de Monet, avait fait du train le protagoniste de *Pluie, vapeur, vitesse* (1844). Les volutes de fumée bleues et blanches tourbillonnent sous la toiture et s'allongent en couches,envahissant l'espace et conférant à la gare une atmosphère irréelle. L'obscurité du toit contraste avec la luminosité de la vapeur s'échappant de la machine.

4. La foule. Les voyageurs qui attendent sur le quai ne sont rien d'autre qu'une multitude de petits points de couleur : le noir se mêle aux tonalités sombres pour souligner les formes, alors que les visages sont représentés par de petits coups de pinceaux de couleur ocre. La seule silhouette humaine qui se détache plus précisément est un employé des chemins de fer, représenté très schématiquement, mais parfaitement distinguable de la masse informe.

Le Givre

1880
Huile sur toile
61 x 100 cm
Musée d'Orsay, Paris (France)

Durant l'hiver 1879-1880, le thermomètre bat tous les records. La Seine gèle. L'imagination plastique de Monet reçoit un impact salutaire face à ce spectacle. Sa conception du paysage a évolué considérablement depuis *La Pie*, où la subtilité des harmonies de blancs s'applique à des formes stables. C'est une vision de la nature, à la manière de Turner, plus intéressée par les vibrations atmosphériques.

La disposition de ce tableau est identique à celle de *L'Étang à Montgeron* : une circonférence vide entourée d'arbres qui stimule le jeu des reflets. Au premier plan, une nature morte : arbustes transpercés par des épées de givre, barques immobilisées par la glace. La Seine occupe un espace central, silencieux champ de bataille où les seuls combats sont ceux du soleil et du givre. Les coups de pinceaux bleus et roses créent une surface irisée qui donne vie à la pâleur hivernale, loin des versions suivantes de la toile qui établiront des parallèles avec la récente disparition de Camille. ■

1880 Claude Monet

Les Rochers de Belle-Île

1886
Huile sur toile
65 x 81 cm
Musée d'Orsay, Paris (France)

Son séjour à Belle-Île constitue la troisième expédition de peinture de Monet. La côte occidentale offre « un paysage fabuleusement sauvage, un amoncellement de roches terrifiantes et une mer aux couleurs incroyables. J'étais habitué à peindre la Manche [...] mais l'océan est complètement différent » écrit-il à Caillebotte. « Il faut du temps pour apprendre à le peindre » commente-t-il à Alice. Les schémas rigoureux des marines précédentes ont disparus. À Belle-Île, Monet essaie de reproduire l'éternelle confrontation de l'eau et des rochers. Le ciel, une infime partie de la toile, reflète ses violets et safrans sur une mer émeraude et ses deux lignes se confondent dans une parfaite horizontalité. Au premier plan, les ensembles de rochers lancent leurs formes compactes au-dessus de la surface tranquille. Monet essaie de transmettre la vie intense de ce granit d'un marron violacé, avec ci et là des touches d'incarnats et de verts. Le peintre détaille la plus petite rugosité, travaille avec son pinceau la plus petite irrégularité, utilisant sa longue expérience. « Je sais que pour vraiment bien peindre la mer, il faut l'observer tous les jours, à toute heure et depuis le même endroit, pour connaître la vie de cet endroit, et je recommence les mêmes motifs quatre voire six fois ». ■

En canot sur l'Epte

1887
Huile sur toile
133 x 145 cm
Musée d'Art de São Paulo (Brésil)

« Je suis heureux que vous peigniez des personnages en plein air. C'est ce que j'attendais de vous », écrit Mirbeau à Monet en 1887. L'écrivain prend la relève des marchands qui essaient de convaincre Monet de ne pas peindre uniquement des paysages. La vision de ses futures belles-filles navigant sur l'Epte éveille son intérêt pour un type de composition déjà traité par Manet (*Argenteuil*), Renoir (*Jeune fille dans un bateau*), Berthe Morisot (*Jours d'été*) et Caillebotte dans ses merveilleuses scènes de rameurs sur l'Yerres.

Il essaie de peindre ce spectacle à six reprises. Ce dernier y réunit certains des éléments préférés de son univers plastique. À chaque fois, sa vision est différente. *Jeunes filles dans un bateau* (Musée de Tokyo) appartient au style classique de son impressionnisme : reflets des jeunes filles (Suzanne et Blanche Hoschedé) et du bateau sur une eau ensoleillée, tachetée de rose et de bleu. *Dans la barque*, œuvre exposée au Musée Marmottan, Monet se rapproche de l'un de ses objectifs : « Des formes en plein air... représentées de la même manière que les paysages ».

Sur cette toile, il dresse un mur ressemblant à une clôture médiévale de couleur verte qu'il peint en arrière-plan de l'embarcation. Les rayons jaunes du soleil illuminent l'épaisseur bleue verdâtre des feuilles. La rondeur dentelée de ces dernières contraste avec la touffe d'herbes se trouvant sous l'eau. Dans une lettre datée de juin 1890 et adressée à Geffroy, il indique les problèmes que présente ce tableau : « J'ai commencé une chose impossible à réaliser : l'eau et des herbes qui se balancent au fond... C'est une folie de vouloir représenter cela ». Le courant emporte les longues herbes, parfois teintées de pourpre ou de petites taches d'un bleu que le ciel laisse filtrer à travers la voûte du feuillage. La teinte rose des robes et l'acajou de l'embarcation se superposent au vert de l'ensemble.

La composition diagonale du bord et de l'embarcation ouvre un angle grâce à la rame, on y perçoit l'effort de la vitesse. En s'appuyant sur une conception infiniment moins réaliste, elle fait penser à l'américain Eakins. Les compatriotes de ce dernier, qui commencent à se rendre à Giverny, connaissaient ses scènes représentant des rames.

Cette toile établit entre Monet et ses modèles un rapport psychologique bizarre qui agit sur lui. Ici, la momentanéité est liée à l'indifférence des jeunes filles par rapport à l'artiste désireux de capter leur image. ■

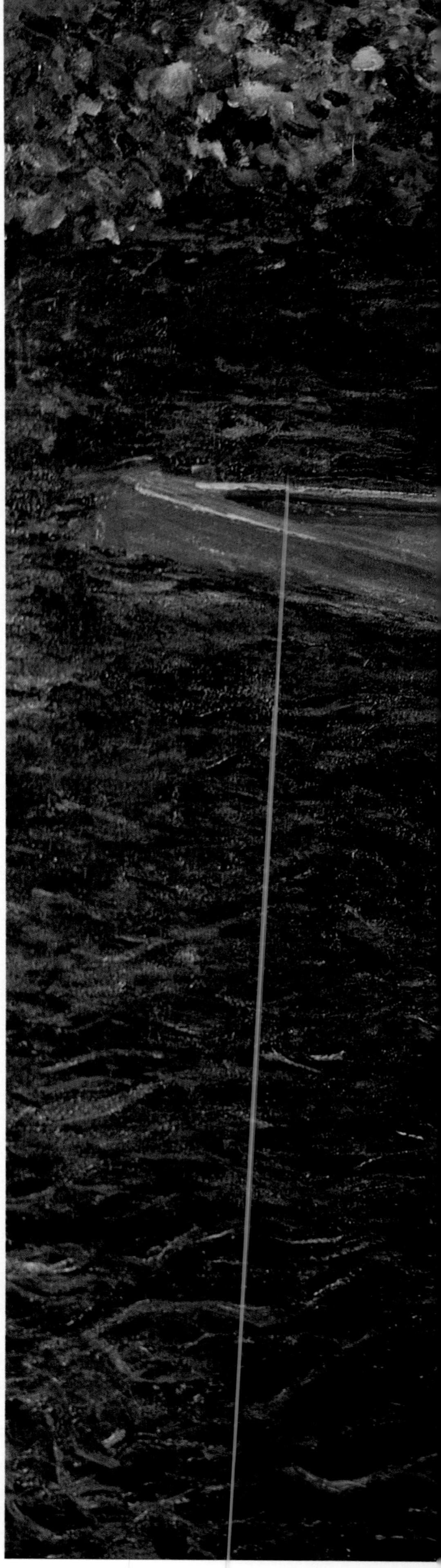

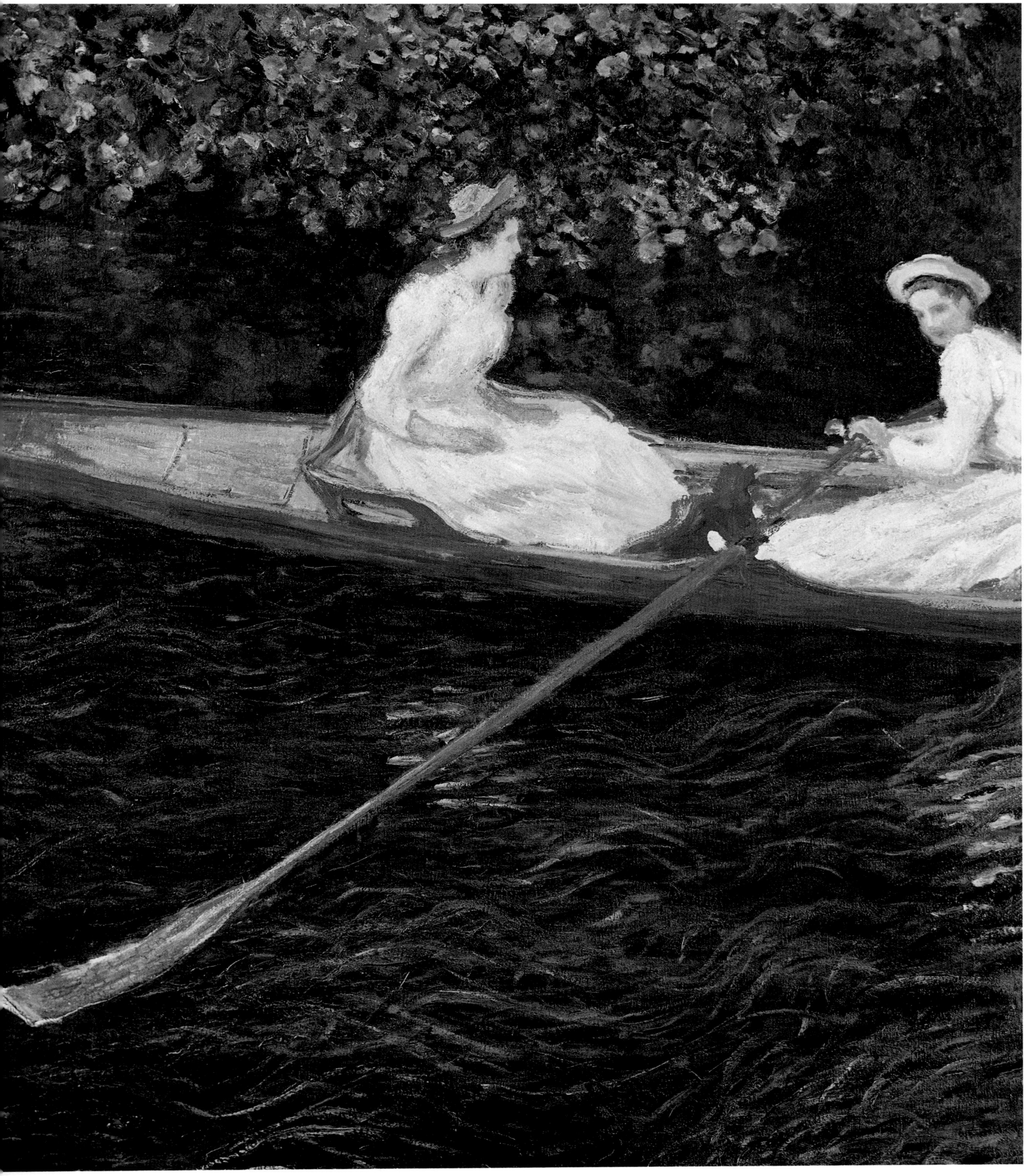

Meules de foin à la fin de l'été, effet du matin

1890
Huile sur toile
60,5 x 100,5 cm
Musée d'Orsay, Paris (France)

Les meules couronnent l'apparition de la série. Le peintre représente des meules au fil des saisons, mais également au fil des journées et même des heures. Cet ensemble de vingt toiles démontre la fascination du peintre pour la texture des meules et par leur métamorphose dès que la lumière change. Ce soleil invisible à un « instant précis » projette sur cette toile une ombre matinale. Trois franges parallèles servent de rideau de fond : une plus étroite pour le ciel, une seconde plus moutonneuse pour la végétation et une troisième plus rugueuse pour la chaume. Le dégradé de verts se mélange alors au rose.

Une légère brume sur la vallée de la Seine indique la fin de l'été. La chaleur accumulée par le blé se dégage à travers les couleurs chaudes : une gamme incroyable d'orangés qui se mélangent au pourpre, violet et rose et qui s'obscurcissent dans les parties sombres. Le mouvement provient des ombres : l'une entoure la meule à la base, l'autre s'étend en une couche obscure. ■

La Cathédrale de Rouen. Le portail et la tour Saint-Romain, effet du matin. Harmonie blanche

Variations sur un même thème
Sous le soleil, dans le brouillard, à l'aube, au crépuscule…, la façade de la cathédrale est une figure que Monet observe. Il essaie de capter tous les effets de lumière qui se reflètent sur elle à des moments successifs. C'est la raison pour laquelle il travaille sur quatorze toiles au cours d'une même journée.

▼
D'en haut, à gauche : *Le portail, vu de face, harmonie brune* (1892) ; *Dans le brouillard* (vers 1893) ; *Façade ouest, plein soleil* (1894) ; *Le portail, temps gris* (1894).

1893

Huile sur toile
106 x 73 cm
Musée d'Orsay, Paris (France)

Près de vingt ans après sa première exposition impressionniste, Monet souhaite se renouveler, en partie en raison de l'ambiance extraordinairement créative qui règne en cette fin de siècle mais également en raison du besoin de s'affirmer face à la nouvelle génération. Cette dernière le considère comme une gloire. Cependant, Monet constate que de nombreux autres artistes l'ont plagié et qu'il a été dépassé par le symbolisme de Gauguin. La série consacrée aux cathédrales constitue une brillante démonstration de la pérennité de son talent. « Cette célèbre cathédrale est difficile à réaliser… ». Pour achever son œuvre, Monet devra effectuer deux expéditions pour peindre à Rouen (de février à avril 1892 et 1893) et aura également besoin de trois postes d'observation : un appartement, une boutique de lingerie et de modes et une autre de nouveautés. Il terminera ses toiles dans son atelier de Giverny.

Il n'y a aucun effet de perspective. Seul l'angle de vision varie légèrement : la façade occidentale apparaît soit de face, soit à travers une ouverture en direction de la tour de Saint-Romain. Parfois, tout comme sur cette toile, nous apercevons quelques maisons.

Au cours de ses séjours à Rouen, alternent des sentiments de doute, d'exaspération et de satisfaction : « Je suis rompu », avoue-t-il à Alice le 3 avril 1892. « Je n'en peux plus et j'ai eu une nuit remplie de cauchemars : la cathédrale me tombait dessus, elle semblait bleue ou rose ou jaune ».

Dans cet effet du matin, les édifices et une volée de corneilles donnent l'échelle. L'effet de hauteur de la tour Saint-Romain se voit alors accentuée et coupée dans sa progression ascendante par le cadre. Il ne s'agit pas de l'architecture gothique que nous pouvons apprécier chez Bonington et Turner. Monet essaie de montrer la vie intérieure de cette pierre, rongée par les siècles et les intempéries et égayée sous les rayons du matin. Il emploie une texture épaisse, « mortier coloré, affirme Clemenceau, projeté sur la toile dans un moment de colère ». L'harmonie générale de la toile, une palette de bleus, lilas et violets, ressort grâce au rose et au blanc. Certaines parties semblent désarticulées sous l'effet d'une lumière dorée alors que d'autres parties telles que le portail ocre ou la rosace enveloppée de bleu et de rose, se distinguent de l'ensemble.

Les vingt versions présentées dans la galerie Durand-Ruel en 1894 sont accueillies par les artistes et la critique comme un véritable évènement. Dans ces versions, se démarque « une nouvelle façon de regarder, de sentir, d'exprimer une révolution… », écrit Clemenceau. Par la suite, le XXe siècle (notamment Picasso, Braque et Lichtenstein) accordera à ces façades une « importance fondamentale dans l'histoire de l'art », qui oblige « des générations entières à changer leur conception ». ■

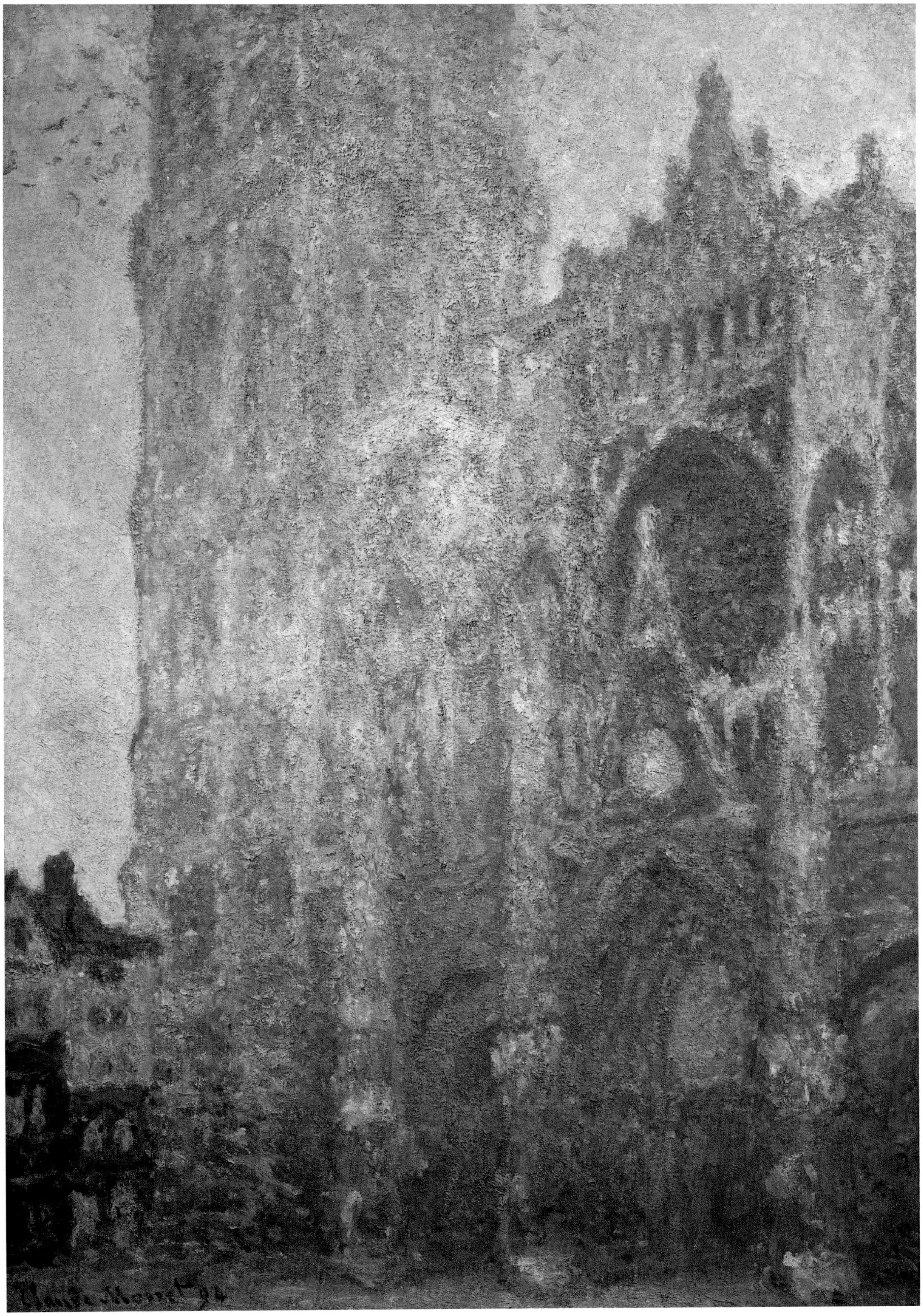
Claude Monet 94

Londres, le Parlement. Trouée de soleil dans le brouillard

1904
Huile sur toile
81 x 92 cm
Musée d'Orsay, Paris (France)

« Je voudrais même essayer de peindre quelques effets de brouillard sur la Tamise ». Cette phrase de Monet annonçait un voyage à Londres, fin 1887. Il lui aura finalement fallu douze années pour concrétiser ce projet et quatre autres pour l'achever : Impression, soleil levant sur le port du Havre, sur la Seine à Vétheuil, sur les peupliers de l'Epte. À chaque étape de sa carrière, Monet se dépasse lui-même dans les thèmes typiques de l'impressionnisme. D'autre part, il sent un désir permanent de se mesurer à d'autres maîtres. À travers le panorama de la Tamise, sa volonté s'adresse à Turner et à Whistler. Ce dernier l'encourage à se rendre à Londres.

À l'automne 1899, il commence ses premiers essais à l'hôtel Savoy. Maupassant l'avait observé à Étretat, accompagné d'enfants porteurs de toiles sur lesquelles il peignait ses impressions successives. À Londres, il travaille de manière frénétique. Le 11 mars 1900, il avait commencé cinquante tableaux et, à la fin du mois, il en comptait déjà quatre-vingt. « Qu'il est difficile de capturer cette atmosphère si changeante ! ». Depuis son lit, il peint les vues sur les ponts (Charing-Cross et Waterloo), mais s'installe sur la rive opposée pour créer la série des parlements. Turner avait représenté l'incendie de l'ancien Westminster ; Monet révèle le nouveau palais dans les flammes du crépuscule. Là, le soleil essaye de percer le brouillard épais de la civilisation industrielle. La toile est baignée d'un violet pourpre. Il semble projeter ici la couleur favorite de la reine Victoria, dont les funérailles ont eu lieu lors de la dernière expédition picturale de l'artiste à Londres. Ce tableau, comme les autres, est achevé à Giverny après d'harassants travaux comparatifs entre les diverses versions.

Très différent de celui de *Westminster, du tableau nocturne en gris et or* de Whistler, aussi léger qu'un souffle d'air, ce parlement semble fantasmagorique. Toutefois, l'œuvre ne se dissocie pas des courants de l'époque, de par l'exacerbation de la couleur. Le bleu cobalt est appliqué sur toutes les zones d'ombre ; l'écarlate est mélangé au vermillon, aux reflets du soleil qui transforme la Tamise en une sorte de rivière de sang. Sans doute impressionniste dans l'entrecroisement des coups de pinceaux, ce tableau annonce aussi le fauvisme par sa capacité de synthèse et l'expressivité de la couleur. ■

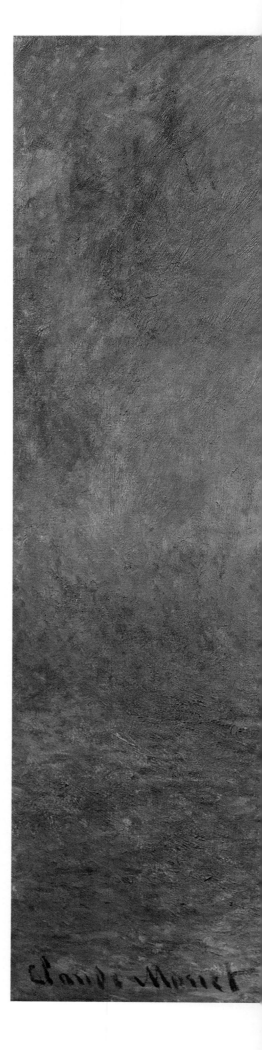

Nymphéas bleus

1916-1919

Huile sur toile
200 x 200 cm
Musée d'Orsay, Paris (France)

Un jardin enveloppe, isole, console. À la fin de sa vie, Monet ne sort plus beaucoup. Après avoir conçu son jardin d'eau, ce miroir magique de l'été se transforme progressivement en « l'unique motif représenté dans toutes ses incidences ». Le thème, un tantinet facile, du pont fragile, inspiré des « merveilleuses vues des célèbres ponts d'Hokusai », disparaît peu à peu de ses toiles (il réapparaîtra en 1919) pour laisser place aux *Nymphéas, une série de paysages aquatiques*, exposés en 1909 dans la galerie du marchand d'art Durand-Ruel.

Marcel Proust, qui observe ces toiles auprès de Geneviève Halévy, épouse d'Émile Straus et personne très influente dans le Paris de l'époque, s'en inspire pour l'admirable description des nénuphars de la Vivonne. Cette plante fascine les amis poètes de Monet. « Les grands nénuphars sur les eaux calmes », écrit Verlaine. Mallarmé les voit, lui, « enveloppant de leur blancheur concave un rien fait de songes intacts... ». À la fin du siècle, ils furent également l'un des motifs favoris de *l'Art Nouveau*. Gallé et Georges de Feure s'en servent pour décorer vases, chandeliers et toiles. Monet lui-même se penche sur cette interprétation dans son projet des « Grandes décorations » conçu antérieurement et retrouvé en 1915. Toutefois, Monet n'est pas, à proprement parler, un peintre de fleurs. Il ne l'a été ni dans le cadre de son œuvre antérieure, ni même après ses nymphéas. Au contraire, en tant que peintre, il recherche l'effet d'ensemble composé par la lumière, l'eau, les fleurs et d'autres motifs annexes. Il explique lui-même sa méthode de travail : « Dans l'atmosphère, réapparaît une couleur que j'avais trouvée hier[...]. J'essaie tout de suite de fixer la vision aussi vite et définitivement que possible, mais elle disparaît presque toujours immédiatement pour laisser place à une autre couleur ». Par conséquent, l'artiste se presse de changer de toile et poursuit son objectif de copier l'immédiatteté.

La tâche est difficile, notamment parce-que Monet souffre dès les premières années du nouveau siècle de problèmes de vue, qui empirent gravement en 1918, à tel point qu'il doit se fier aux étiquettes des tubes de peinture pour appliquer la couleur adéquate sur ses toiles. Il ne récupèrera la vue qu'en 1923, après une opération de la cataracte. Même après l'opération chirurgicale, il continuait à percevoir une couleur dénaturée, c'est pourquoi il décida en 1925 d'utiliser des verres correcteurs.

Clemenceau choisit, le 18 novembre 1918, deux toiles parmi la série des nymphéas que le peintre désirait offrir à l'État à l'occasion de l'armistice. Clemenceau persuade alors Monet de réaliser l'ensemble aujourd'hui exposé au Musée de l'Orangerie à Paris. Le peintre avait une idée très claire de la présentation qu'il désirait pour son œuvre et il travailla

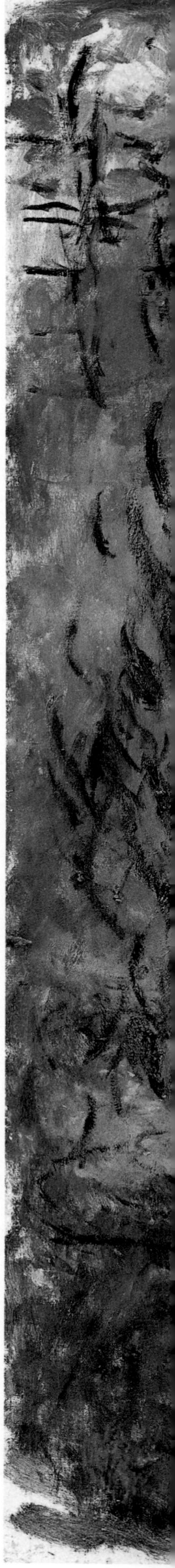

avec un architecte pour concevoir l'espace elliptique qui l'accueille.

Les qualités plastiques de la série des *Nymphéas* sont passées inaperçues pour les cubistes, mais elles ont trouvé écho parmi les surréalistes et ont constitué un prélude à l'abstraction lyrique. D'ailleurs, des peintres tels que Wassily Kandinsky, principal représentant de l'expressionnisme abstrait, ou le suprématiste Kasimir Malevich, reconnaissent l'influence de Monet et de la série des nymphéas dans leur propre création artistique.

Cette toile, avant de figurer dans la collection du Musée d'Orsay, a appartenu à Stratis Eleftheriades, connu comme Tériade, directeur de la revue *Verve*, l'une des publications d'art les plus intéressantes de l'époque. Ici, elles forment une variation sur les formes circulaires : les branches et leurs reflets dessinent un cercle dans lequel les feuilles rondes des nénuphars et leurs coupoles teintées de rose glissent les unes sur les autres .

Les *Nymphéas*, dont voici un exemple, représentent la dernière rupture avec le paysage traditionnel de Camille Corot ou de Charles François Daubigny. De même, elles s'inscrivent dans la ligne d'une recherche dédiée à toutes les subtilités de la perception et qui mena l'écrivain et critique Rémy de Gourmont à déclarer que « l'impressionnisme, c'est Monet, isolé dans son génie, glorieux et thaumaturge ». ■

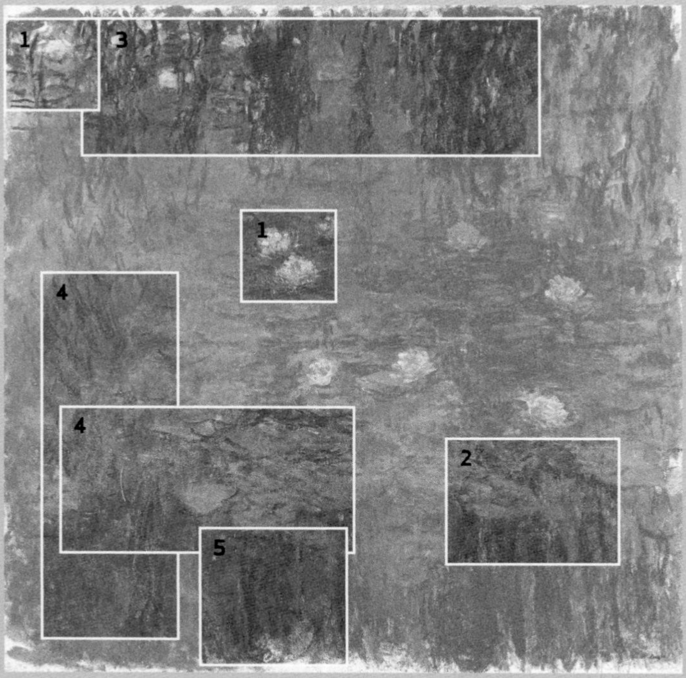

1. Les nymphéas. Monet se sert de ses nymphéas pour rompre la perspective. En effet, les fleurs les plus éloignées du spectateur ont une taille semblable aux plus proches. Le contraste entre le blanc et le rose donne de la vie aux fleurs. « Il s'agit d'un rose tentation léger, sans lequel le blanc n'aurait jamais conscience de sa blancheur », disait Bachelard.

2. Le fond de l'étang. Le bleu teint de mauve du fond de l'étang provoque une sensation d'opacité, d'irréalité chez le spectateur. Monet ne cherche pas à refléter un étang transparent, mais semble vouloir établir un contraste entre ce fond épais et la délicatesse des feuilles flottantes.

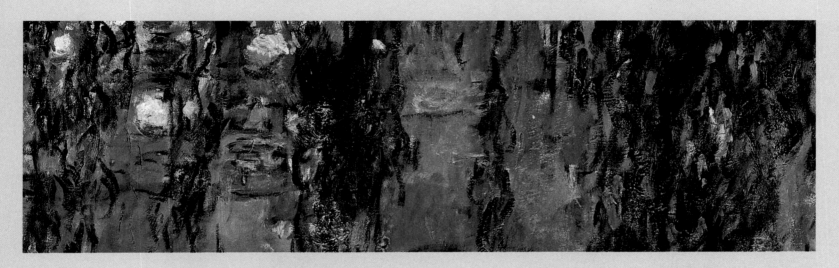

3. Les saules. Des saules situés sur la rive nord de l'étang de Giverny, n'apparaissent dans le tableau que les branches ondulant sur la surface bleue, comme s'il s'agissait de la chevelure de Mélisandre, protagoniste de l'histoire médiévale créée par le poète belge Maurice Maeterlinck, *Pelléas et Mélisandre*, dont Debussy fit une adaptation pour l'opéra. Monet, admirateur des deux artistes, a peut-être inconsciemment projeté cette image.

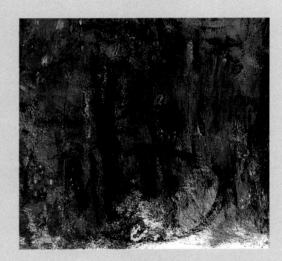

4. L'équilibre entre verticalité et horizontalité. Les branches des saules et leurs reflets sur l'eau créent une sensation de verticalité dans la toile que le peintre équilibre par l'horizontalité apportée par les feuilles flottantes soutenant les fleurs. En regardant la toile dans son ensemble, les branches et leurs reflets forment un cadre qui oriente le regard vers le centre de l'œuvre, vers les nymphéas, protagonistes absolus du tableau.

5. Les feuilles ébauchées. Sur la toile, certaines plantes, dessinées sans couleur, se confondent presque avec les peupliers et le fond de l'étang. Cette tendance à ne souligner que les formes est rendue évidente dans une œuvre postérieure à cette série, *Nymphéas* 1917-1919, du Musée Marmottan, où les fleurs ne sont qu'ébauchées, à la différence que le trait noir est associé à d'autres couleurs.

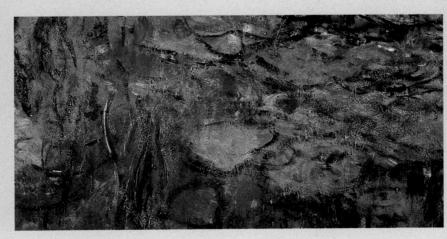

Informations pratiques

Musée Marmottan Monet

Ce musée réunit la collection d'œuvres de Monet la plus importante au monde. Au total, 87 peintures à l'huile sont exposées, dont le célèbre *Impression, soleil levant*, outre de nombreuses caricatures, notes, esquisses et études de tableaux du peintre.

2, rue Louis-Boilly
75016 Paris
France

Téléphone : + 33 (0) 1 44 96 50 33
www.marmottan.com

Horaires de visites :
10h00 – 18h00, du mardi au dimanche.
Fermé le lundi et le 1er janvier,
le 1er mai et le 25 décembre.

Autres musées présentant des œuvres de Claude Monet :

Musée de l'Orangerie

L'ensemble des *Nymphéas* que Monet a donné à l'État français peut être admiré dans ce musée des Tuileries.

Jardin des Tuileries
75001 Paris
France
www.musee-orangerie.fr

Fondation Claude Monet à Giverny

À Giverny, la maison et le magnifique jardin d'eau de Monet ont été conservés. On peut également y admirer sa collection d'estampes japonaises.

84, rue Claude Monet
27620 Giverny
France
www.fondation-monet.com

Musée d'Orsay

62, rue de Lille
75343 Paris
France
www.musee-orsay.fr

The Metropolitan Museum of Arts

1000 Fifth Avenue at 82n Street
New York 10028-0198
États-Unis
www.metmuseum.org

National Gallery of Art, Washington

National Mall between 3rd and 9th
St. at Constitution Av. NW,
Washington
États-Unis
www.nga.gov

The Art Institute of Chicago

111 South Michigan Avenue
Chicago, Illinois 60603-6110
États-Unis
www.artic.edu